D0522456

Les confidences d'Amy

*

Audacieuse Chloe

KIT TUNSTALL

Les confidences d'Amy

éditions HARLEQUIN

Collection : Spicy

Titre originaL :
RED-HANDED

Traduction française de ALBA NERI

Photos de couverture :

Chaussures : © DIMITRIY SHIRONOSOV/ROYALTY FREE/SHUTTERSTOCK
Table : © HXDBZXY/ROYALTY FREE/SHUTTERSTOCK

Réalisation graphique couverture : ATELIER DIDIER THIMONIER

83-85 boulevard Vincent-Auriol, 75646 PARIS CEDEX 13.
Service Lectrices — Tél. : 01 45 82 47 47
www.harlequin.fr

ISBN 978-2-2802-9200-9 – ISSN 1958-0223

Chapitre 1

Amy, les yeux agrandis par la peur, regarda Kevin miser tous ses jetons sur un seul chiffre. De nouveau. Elle feignit un bâillement et couvrit sa bouche de sa main, afin de parler à son cousin à travers l'émetteur radio dissimulé dans sa montre, dont le récepteur se trouvait dans l'oreillette que portait Kevin.

— Arrête ça tout de suite ! murmura-t-elle d'une voix pressante. Un tel pari va attirer l'attention de la sécurité !

Kevin ignora son conseil, et Amy n'eut d'autre choix que de continuer à fixer l'ordinateur de poche qu'elle cachait sous son bras. C'était elle qui avait conçu le système électronique qui permettait de contrôler le point d'arrêt de la roulette, mais puisque c'était son cousin qui le détenait en ce moment, elle en était réduite à le regarder, impuissante, arrêter encore une fois la roue sur son numéro pour rafler une somme de quelques centaines de milliers de dollars. Il n'avait pas écouté un seul mot de ses conseils, à savoir : varier les numéros à chaque partie, et ne jamais miser plus de quelques milliers de dollars d'un seul coup. A présent, cet inconscient avait accumulé une telle somme d'argent en un laps de temps si court que seul un miracle empêcherait la sécurité de le repérer.

Avec un soulagement infini, Amy observa Kevin récupérer le ticket indiquant ses gains et se diriger vers la caisse. Heureusement, se dit-elle, il avait remporté une somme suffisamment importante pour qu'ils n'aient plus jamais à répéter ce manège infernal.

Elle le vit franchir la sortie du casino d'un pas nonchalant, avec l'air d'un homme n'ayant pas le moindre souci à l'esprit, et aussitôt, elle glissa le petit ordinateur dans la manche de sa veste over-size, prête à son tour à quitter les lieux au plus vite. Elle rabattit la casquette sur son visage, et s'assura que pas une mèche de ses cheveux n'en dépassait. Avec cette tenue masculine, elle était sûre de passer incognito si jamais elle croisait l'un de ses élèves. Ou de ses collègues. Sans parler des vigiles qui tuaient le temps en matant les jolies filles.

Elle n'avait pas parcouru plus de trois mètres que deux hommes, dont la carrure suggérait qu'ils pourraient la mettre K.O. d'une pichenette, lui barrèrent la route. Avec leur costume noir, leur chemise blanche et leur cravate grise, ils se ressemblaient comme des clones. Même leur froncement de sourcils semblait coulé dans le même moule, et ils ne se différenciaient qu'à la nuance de leurs cheveux, observa Amy, le ventre serré par la peur.

— Excusez-moi, murmura-t-elle cependant d'une voix indistincte, tentant de se faufiler entre les deux molosses.

— M. Cavello aimerait vous rencontrer, annonça le blond, en posant une main menaçante sur son épaule.

Amy le regarda d'un air innocent, comme si elle ne comprenait pas ce qu'on attendait d'elle. Mais elle ne le savait que trop bien. Roan Cavello était le propriétaire du casino Le Nabab où Kevin venait, avec son concours, de rafler une somme indécente dans la plus parfaite illégalité.

— Je suis désolée, mais je dois y aller vraiment. J'ai rendez-vous avec un ami. Un… un inspecteur de police, ajouta-t-elle, sentant le désespoir l'envahir.

— M. Cavello insiste, monsieur.

Amy songea un instant à résister, mais abandonna aussitôt l'idée. Ce serait une action stupide, et de toute façon, personne ne viendrait lui porter secours. Et pour l'instant, son déguisement marchait, c'était déjà ça. Quand bien même elle hurlerait à tue-tête, aucun client ne délaisserait son jeu pour s'interposer entre elle et les gars de la sécurité.

Elle haussa les épaules, affectant une nonchalance qu'elle était loin de ressentir et se mit à marcher entre les deux hommes. Ils se gardaient bien de la frôler, remarqua-t-elle, mais elle était certaine qu'ils s'empareraient d'elle dans la seconde si elle tentait le moindre mouvement suspect.

« Privé », lut-elle sur la plaque de la porte devant laquelle ils venaient d'arriver. Les deux vigiles la franchirent sans hésiter, et Amy sentit la peur s'abattre si fort sur elle qu'elle dut contenir un haut-le-cœur. D'après ce qu'elle savait, on allait l'enfermer dans une pièce qui ressemblait à la salle d'interrogatoires d'un commissariat, où elle resterait jusqu'à ce qu'on décide de la remettre aux agents de la Commission des jeux du Nevada. Peut-être y aurait-il des caméras de vidéosurveillance dans la salle, peut-être pas, cela dépendait de chaque casino. Et, pensa-t-elle, sans témoin ni enregistrement, elle se trouverait complètement à la merci des hommes de main de Cavello…

Amy se laissa guider le long d'un couloir aussi banal qu'un couloir puisse l'être, avec des murs jaune pâle et des dalles blanches sur lesquelles ses baskets crissaient à chaque pas, chaque grincement augmentant l'angoisse qui l'oppressait. Enfin, on l'introduisit dans une pièce aux murs en béton brut, éclairée par une ampoule nue qui pendait du plafond. Sans la moindre protestation, elle s'assit sur la chaise que lui indiquait le gorille brun, derrière une table métallique cabossée. Nerveusement, elle passa la pièce en revue, et découvrit aussitôt une caméra vissée dans un angle du plafond, braquée dans sa direction. Son cœur cessa de battre un instant. Au moins, pensa-t-elle, il y aurait une trace de ce qui allait se passer dans ce cachot.

Elle attendit en silence, les mains serrées entre ses cuisses pour dissimuler leur tremblement. Ce n'était pas la peine d'essayer de négocier avec ces deux hommes, ils n'auraient pas pu l'aider, même s'ils en avaient eu l'envie, ce qui n'était pas le cas. Ils n'obéissaient qu'aux ordres de Roan Cavello, comme tous les autres employés du casino.

Elle retint un soupir. Est-ce qu'au moins, Kevin avait réussi à s'en tirer sans être pris ? L'inquiétude qu'elle éprouvait pour le sort de son cousin tempéra quelque peu la colère qu'elle ressentait à son égard pour l'avoir embarquée dans cet affreux cauchemar. Cependant, Kevin n'occupa que quelques secondes ses pensées, car sa propre situation lui semblait beaucoup plus inconfortable. A quoi devait-elle s'attendre face à Roan Cavello ?

Comme si le fait d'avoir pensé à lui l'avait fait venir, le grand patron en personne entra à cet instant dans la pièce. Il marchait d'un pas silencieux et presque furtif, comme un chasseur à l'affût d'une proie. Amy déglutit avec difficulté en apercevant la lueur hostile qui éclairait le regard froid de ses yeux d'un bleu métallique. Et pourtant, malgré l'angoisse qui l'étreignait, l'incroyable présence de cet homme lui coupa le souffle. Si elle l'avait rencontré dans des circonstances moins effrayantes, elle l'aurait trouvé attirant.

Il semblait grand et solide, même à côté des deux vigiles qui l'épaulaient, et la coupe impeccable de son costume soulignait les lignes athlétiques de son corps avec une élégance hors du commun. Le tissu anthracite mettait en valeur ses cheveux blonds, qui encadraient un visage viril aux angles affûtés. Amy frissonna lorsque leurs regards se rencontrèrent. Roan Cavello savait qu'elle avait triché, et elle n'avait pas le moindre espoir qu'il se montre indulgent à son égard.

Il s'assit en face d'elle, et les deux gorilles reculèrent pour prendre place de chaque côté de la porte. Amy ne put s'empêcher d'admirer la beauté de ses mains, qui, en dépit de ses ongles soignés, dégageaient une impression de force.

— Tu m'as volé, mon garçon, dit-il.

Sa voix était lisse, avec juste une once d'acrimonie.

Amy ne prit pas la peine de nier l'accusation, sachant qu'elle manquerait de conviction. Elle n'avait pas volé directement l'argent, certes, mais elle seule avait conçu le dispositif qui avait permis à Kevin de gagner à la roulette.

— Je... j'ai vraiment besoin d'y aller, balbutia-t-elle pour toute réponse.

— Son ami, le flic, l'attend, ricana le blond.

— C'est peut-être lui qu'il faut appeler pour qu'il t'arrête, alors, suggéra Cavello en se penchant davantage sur elle. La surveillance électronique a détecté le signal d'un PDA dans le casino. Ils ont isolé l'algorithme, et c'est ainsi qu'ils ont su que tu contrôlais l'un des jeux. Nous n'avons pas pu trouver l'autre émetteur, mais c'est juste une question de temps avant que nous mettions la main sur ton partenaire. Si tu nous donnes un nom et une adresse, je suis prêt à te rendre les choses plus faciles.

Amy serra les poings. Jamais elle ne pourrait trahir Kevin, trop de choses dépendaient de l'argent qu'il avait emporté. Des choses essentielles.

— Je n'apprécie pas qu'on m'accuse de tricher, dit-elle enfin, avec un regard ulcéré. Laissez-moi partir ou appelez la police, mais ne me menacez pas.

Cavello se leva d'un bond, repoussant la chaise d'un coup de pied lorsqu'elle se renversa avec un bruit sourd. Il traversa la pièce en trois foulées pour aller ouvrir un placard métallique, tandis que le vigile blond s'avançait vers la caméra et la débranchait. La nausée qu'Amy avait réussi à tenir à distance revint avec force.

Cavello regagna la table, une caisse en acier entre les mains. Dans un état second, Amy le regarda l'ouvrir, et son sang se glaça à la vue d'un set de couteaux aux manches ouvragés, comme ceux qu'un prestidigitateur utiliserait dans un spectacle. Elle ferma les yeux, en proie à une panique bleue, et le temps d'une seconde, elle s'imagina attachée à une roue géante, cible humaine de cet homme à la colère froide qui lancerait ses lames sur elle sans vraiment se soucier de l'atteindre ou de la manquer.

Cavello se saisit d'un des couteaux, et Amy se força à regarder la mince lame enchâssée dans un manche en ivoire, longue d'une dizaine de centimètres. C'était un bel objet, qui aurait pu sembler inoffensif sans l'étincelle cruelle que la lumière jaune de l'ampoule arrachait au métal.

Elle déglutit avec effort.

— C'est censé m'effrayer ? balbutia-t-elle. Car si vous me faites quoi que ce soit, vous irez en prison.

— Et qu'est-ce que cela changera pour toi, petit malin, lorsque tu te trouveras au fond d'un trou dans le désert ? demanda Cavello d'un ton ironique, tout en passant son doigt sur le tranchant de la lame. C'est ce que méritent les types dans ton genre.

Il n'allait quand même pas s'en prendre à une femme, tenta-t-elle de se rassurer. A moins que… A moins que ce type n'ait pas encore compris qu'elle était une femme ? Malgré la situation dramatique dans laquelle elle se trouvait, Amy ne put s'empêcher de se sentir blessée dans sa fierté féminine. D'accord, elle portait une casquette de base-ball, des lunettes de soleil et un pull à capuche trois fois sa taille, mais quand même, on ne pouvait pas la confondre avec un homme dès qu'on la regardait deux fois ! Elle inspira profondément pour contenir l'envie de relever son pull et montrer ses seins à ce goujat. C'était stupide de se vexer à cause d'une méprise à propos de son sexe alors que ce type était en train de la menacer de mort ! Non, il fallait avant tout qu'elle parvienne à reprendre la situation en main.

— Des gens m'ont vue entrer ici. Et vous avez des caméras partout qui ont tout enregistré.

— Mais pas dans cette pièce.

— Peu importe. Il y a des témoins et des enregistrements, dit-elle en haussant fièrement le menton.

— Et pour qui, à ton avis, travaillent ces témoins ? rétorqua-t-il en ébauchant un sourire inquiétant.

Amy resta une seconde interloquée, moins par la menace contenue dans ces paroles que par l'incroyable effet que ce sourire produisait sur elle. L'espace d'un instant, elle avait eu envie de faire toute sorte de vilaines choses, des choses qu'une fille comme elle, élevée dans une ferme de l'Oregon, n'était pas censée connaître. Pourquoi diable réagissait-elle comme cela ? se demanda-t-elle, interdite. Comment pouvait-elle éprouver un désir d'une telle force alors qu'elle était sur le point d'avoir de gros, de très gros ennuis ?

— A ton avis, qui paie le salaire des vigiles qui surveillent les enregistrements ? demanda Cavello en reposant le couteau dans l'étui et en se saisissant d'un autre.

Ses gestes méthodiques effacèrent toutes les émotions d'Amy à l'exception de la peur.

— Penses-tu vraiment être le premier à avoir tenté de tricher dans ce casino, mon gars ?

Amy le regarda s'avancer vers elle, les yeux rivés au couteau. Elle avait beau se répéter que tout cela n'était qu'une mise en scène destinée à lui délier la langue, la terreur l'empêchait de s'en convaincre. Lorsque Cavello fut tout près d'elle, la longue lame étincelante à la main, la peur prit le dessus sur la raison, et Amy s'élança d'un bond sur la table, dans une tentative de fuite désespérée. Le bras puissant de Cavello l'attrapa aussitôt par la taille. Sans penser une seconde à ce qu'elle faisait, mue seulement par l'instinct de survie, elle tenta de s'en défaire, giflant Cavello de toutes ses forces. Il lâcha un sifflement exaspéré à travers ses dents serrées, mais avant qu'elle ait pu deviner si elle lui avait vraiment fait mal ou si Cavello était simplement surpris, elle vit, comme au ralenti, le poing de Cavello fuser vers son visage. Ce fut sa dernière vision avant de tomber inconsciente.

Roan Cavello jura entre ses dents lorsque le garçon heurta la table avec un bruit sourd qui retentit dans la pièce. Il serra son poing d'un air absent pour soulager la douleur, et laissa tomber le couteau pour vérifier le pouls du môme.

— Sacré bordel, grommela-t-il, cherchant un battement dans le cou de sa victime.

Une longue mèche châtaine s'échappa alors de la casquette qui couvrait la tête du jeune homme. L'appréhension s'empara de Roan, et il enleva le couvre-chef et les lunettes qui cachaient le visage de l'inconnu. Il jura de nouveau. Le visage qu'il avait sous les yeux appartenait sans l'ombre d'un doute à une femme, et non à un homme, comme il l'avait présumé depuis le début.

— Et merde ! s'exclama-t-il avant de soulever la jeune femme dans ses bras.

— Monsieur ? demanda Tim Duffy, le vigile blond. Quelque chose ne va pas ?

— Non, rien. Sauf que notre petit escroc est une nana.

Il grimaça en imaginant la réaction de son père si jamais il venait à apprendre qu'il avait frappé une femme. Le fait que Roan ait ignoré au moment de la bagarre qu'il s'agissait d'une fille ne constituerait pas une circonstance atténuante pour son géniteur, et il n'hésiterait pas à rosser son fils pour avoir enfreint l'une des règles fondamentales qu'il lui avait inculquées. « Un vrai homme ne doit jamais, sous aucun prétexte, lever la main sur une femme. »

Etouffant un nouveau juron, Roan marcha vers l'ascenseur, l'inconnue dans ses bras, légère comme une plume.

— Restez en bas, ordonna-t-il à ses employés, lesquels s'apprêtaient à l'accompagner. Et prévenez la sécurité pour qu'ils déverrouillent les portes de ma suite.

Il pressa avec son coude le bouton du dernier étage, où se trouvait sa suite privée. Pendant que la cabine de l'ascenseur s'élevait, Roan observa l'inconnue avec attention. Elle possédait un visage intéressant, pensa-t-il, avec un front haut, des pommettes saillantes et un nez fin et bien dessiné. La bouche, pleine et sensuelle, apportait à ses traits effilés douceur et féminité, et la blancheur crémeuse du teint contrastait avantageusement avec les mèches chocolat et miel de la chevelure.

Roan sortit de l'ascenseur sans accorder le moindre regard au vigile qui surveillait ses quartiers privés. La sécurité avait suivi ses ordres, et il n'eut qu'à pousser la porte d'un coup d'épaule pour entrer dans sa suite.

Il contint son souffle lorsque la fille se blottit contre lui et qu'il sentit ses seins pressés contre son torse. Il pouvait dire qu'ils étaient petits, en tout cas pour son goût, mais aussi qu'ils étaient ronds et fermes. Il eut soudain une envie irrépressible d'ouvrir sa veste pour avoir un aperçu plus précis de ce qui se trouvait en dessous, mais il repoussa l'idée d'une brusque secousse de la tête, pris au dépourvu par cette étrange étincelle de désir. Cela ne lui ressemblait pas, de sentir cette attirance soudaine pour une femme, encore moins pour une voleuse qui avait tenté de tricher dans son établissement. Il déposa la jeune femme sur un canapé et appela le médecin du casino. Il ne pensait pas l'avoir blessée grièvement, mais il préférait s'assurer que cet hématome qu'il voyait déjà pointer sur son menton n'aurait pas de conséquences importantes.

Alors qu'il venait de raccrocher, l'inconnue remua faiblement, et il contint son souffle. Allait-elle reprendre conscience ? Lorsqu'il comprit qu'elle avait simplement changé de position, et qu'elle n'était pas près de se réveiller, Roan ne put résister à la tentation de l'observer de plus près. Il se pencha sur elle et, le plus doucement qu'il put, déboutonna sa veste. En dessous, elle portait un débardeur en coton blanc voilant à peine les mamelons rosés qui pointaient sous le tissu côtelé. Chassant l'impression qu'il avait de se comporter comme un pervers, à s'attarder sur ce genre de détail, il fit glisser son regard sur le reste de son corps. Elle avait la taille fine et les hanches étroites comme celles d'un garçon. En revanche, observa-t-il sans pouvoir s'en empêcher, elle possédait un petit derrière rond et galbé qui n'avait rien de masculin et qui semblait fait sur mesure pour épouser les paumes de ses mains. Il humecta ses lèvres, soudain asséchées, tandis que l'image fugace de ses mains agrippées à ces hanches pendant qu'il glissait lentement dans la moiteur de son sexe s'imposait à son esprit.

Son sexe durcit instantanément, et il ferma les yeux, respirant à fond pour regagner le contrôle de ses sens. Bon Dieu, que faisait-il à bander comme un âne devant cette inconnue ? Il n'aimait pas se retrouver dans la peau d'un pervers, à mater une femme inconsciente et à s'imaginer avec elle au lit alors qu'elle avait tenté de l'arnaquer. Il n'avait rien contre les femmes vénales, si elles assumaient leur cupidité, en revanche, il ne pouvait pas supporter les voleuses.

Partagé entre la culpabilité et la curiosité, il ne put s'empêcher de continuer son examen. Sous ce jean trop grand et informe, devina-t-il, elle devait avoir de jolies jambes. Accoutrée de la sorte, il ne l'aurait jamais remarquée dans la rue, mais avec une tenue plus seyante, elle était tout à fait le genre de fille qui lui faisait tourner la tête.

Tant qu'il avait cru qu'elle était un homme, il n'avait pas eu de doute sur la marche à suivre. Apeurer ce petit escroc jusqu'à ce qu'il avoue le nom de son complice, où le trouver et la somme exacte qu'ils avaient empochée. Ensuite, il aurait remis le type à la Commission des jeux. Son petit numéro d'intimidation avec les couteaux avait fait ses preuves par le passé, et, à part pour délier les langues récalcitrantes, il n'avait jamais eu à utiliser sa collection de poignards anciens. Mais il ne pouvait pas appliquer sa tactique habituelle, maintenant qu'il savait avoir affaire à une femme. Ce n'était pas seulement la culpabilité qu'il ressentait pour l'avoir frappée qui le faisait hésiter à la remettre aux autorités. Ce n'était pas non plus la première fois qu'il prenait une femme en flagrant délit, donc il ne s'agissait pas non plus d'un vieil instinct protecteur de gentleman.

Non, il y avait quelque chose chez cette femme qui le poussait à la protéger de la justice sans pour autant lui ôter l'envie de la punir. Car en dépit de l'attirance magnétique qu'elle exerçait sur lui, cette fille n'en restait pas moins une voleuse, et il tenait à lui faire payer son forfait. Personne ne volait impunément au Nabab.

Chapitre 2

Amy se réveilla avec un mal de tête lancinant, mais soulagée à l'idée que tout n'ait été qu'un mauvais rêve. Kevin n'était pas venu frapper à sa porte quelques jours plus tôt, lui demandant, désespéré, de venir à son secours. Elle n'avait jamais consenti à l'aider, pas plus qu'elle n'avait conçu un dispositif électronique à cet effet, et, encore moins, qu'elle avait été coincée en train de tricher au casino.

Elle ouvrit les yeux, prête à se lancer dans sa journée, et la réalité la frappa comme un coup de poing : elle n'avait pas rêvé, ou alors, le cauchemar continuait. Elle n'avait jamais vu de sa vie la pièce d'un luxe inouï où elle se trouvait. Des draps en coton égyptien enveloppaient son corps comme une caresse, et l'oreiller sur lequel sa tête reposait semblait empli de plumes d'ange. Les murs de la chambre, gris foncé avec des veines argent, fournissaient une toile de fond de choix à une épaisse moquette cendrée et aux meubles de bois grège. Au mur étaient suspendues plusieurs toiles, une série de camaïeux de gris qui avaient sans doute rendu indécemment riche l'artiste qui les avait peints.

Pas de doute, pensa Amy, la décoration correspondait à la chambre d'un homme. D'un homme riche. Se trouvait-elle dans la chambre de Roan Cavello ?

— Je vois que tu es réveillée.

Elle sursauta en entendant la voix, et tourna la tête. Roan Cavello était en train de se lever d'un fauteuil, où sans doute il avait attendu son réveil.

En frissonnant, Amy se redressa pour affronter ce visage à l'expression pénétrante.

— Où suis-je ? demanda-t-elle.

— Tu vas avoir un vilain bleu, dit Cavello en frôlant du bout des doigts sa mâchoire meurtrie. J'en suis désolé.

A son contact, Amy sentit sa respiration devenir plus lourde. Désir ou crainte ? se demanda-t-elle fugacement, sans parvenir à identifier la cause de son trouble.

— Ce n'est pas grave. Laissez-moi partir, et nous serons quittes.

Roan Cavello émit un rire rocailleux comme la texture de sa voix.

— Poupée, tu es bien loin du compte, avant d'être quitte avec moi.

— Je n'aime pas qu'on m'appelle poupée, crâna-t-elle, malgré la boule de peur qui venait de se former dans sa gorge.

Cavello la prit par le menton et l'obligea à le regarder dans les yeux.

— Je t'appellerai comme je voudrai, petite tricheuse, riposta-t-il d'un ton soudain brusque, avant de relâcher son visage. Tu es une voleuse.

Amy se tut, incapable de réfuter l'accusation. Ce n'était pas la peine de nier, alors qu'elle avait été prise sur le fait, et qu'elle se trouvait à la merci de cet homme.

— Sais-tu ce qui t'attend en prison ? demanda-t-il, d'un ton impassible et glaçant. Même si tu es moins jeune que tu ne le parais, on va t'y manger crue, avec cet air innocent. Je devrais appeler la police sur-le-champ.

— Et pourquoi ne pas l'avoir fait, au lieu de m'amener chez vous ? demanda Amy, surprise, malgré l'angoisse qui lui serrait le ventre, de s'entendre parler d'un ton aussi insolent.

Cavello haussa les épaules.

— Je voulais m'assurer que tu n'étais pas blessée, dit-il. Les idées vieux jeu que mon père m'a inculquées ont la peau dure, j'imagine.

— Je me porte bien, comme vous voyez. Vous pouvez les appeler, dit-elle.

Pourtant, elle redoutait plus que tout d'affronter la police. Jusqu'à présent, son seul souci avec les forces de l'ordre avait été causé par un léger excès de vitesse, et, naïvement, elle avait cru qu'il en serait de même jusqu'à la fin de ses jours. Soudain, elle mesura la gravité de la situation : une fois que son casier judiciaire ne serait plus vierge, elle perdrait le droit d'enseigner. A cette idée, elle sentit les larmes lui monter aux yeux.

— Je te sens très impatiente d'appeler la police, dit-il en la toisant de toute sa hauteur. Pourtant, tu as beaucoup à y perdre, poupée. J'ai pensé qu'on pourrait s'arranger entre nous, et les laisser en dehors de tout cela. Qu'en dis-tu ?

Amy écarquilla les yeux, avant de regarder instinctivement vers ses jambes, pour vérifier qu'elle se trouvait encore habillée. Mais bien sûr ! comprit-elle soudain, ahurie. Voilà pourquoi il l'avait conduite dans sa chambre : il s'attendait à ce qu'elle couche avec lui !

— Vous êtes ignoble !

Il fronça les sourcils et la dévisagea, l'air énervé.

— J'essaie d'être généreux et tu m'insultes. Tu es vraiment…

Soudain, il s'interrompit, et Amy vit sa bouche se tordre en une drôle de grimace, avant de l'entendre lâcher un éclat de rire sonore.

— Oh, je comprends ! Tu penses que je cherche à abuser de toi, c'est ça ? demanda-t-il, riant de plus belle.

— Qu'est-ce qui vous amuse tant, je peux savoir ? s'enquit Amy, désarçonnée.

Cavello mit quelques secondes à se ressaisir, mais, lorsqu'il se calma, Amy se demanda si elle n'avait pas rêvé l'interlude comique tant le ton de sa voix était impassible.

— J'allais juste te demander de me rendre mon argent dans les vingt-quatre heures, poupée. Pas de coucher avec moi. Désolé, ajouta-t-il avec un sourire sarcastique, mais tu ne vaux pas une telle somme d'argent. Ne vois rien de personnel là-dedans, je ne paierais pas des centaines de milliers de dollars pour une nuit, avec aucune femme.

— Et si c'était plus d'une nuit ?

Les mots avaient surgi de sa bouche sans qu'elle s'y attende, la prenant autant au dépourvu que lui.

— C'est-à-dire ? demanda-t-il, l'air intrigué.

Bonne question. Qu'était-elle en train de suggérer, au juste ? se demanda Amy. Etait-elle vraiment prête à s'offrir à Roan Cavello en échange de l'argent que Kevin avait gardé ? Lorsqu'elle avait cru qu'il osait lui proposer un tel marché, elle en avait été outrée. Mais maintenant qu'elle y pensait, elle découvrait que c'était peut-être là que se trouvait la solution à ses problèmes. Elle pesa le pour et le contre. Que valait-il mieux, devenir la maîtresse de cet homme pendant un court laps de temps, ou perdre à jamais la carrière qui lui avait coûté tant d'efforts, sans oublier, détail non négligeable, le passage par la case prison ? La réponse lui sembla évidente.

— Eh bien ? s'enquit Roan.

Amy humecta ses lèvres soudain desséchées.

— Je pourrais être votre… compagne ? Pour… quelque temps ? Jusqu'à ce que la dette soit payée ?

Roan vint s'asseoir sur le bord du lit, et elle ne put s'empêcher de tressaillir.

— Juste pour un temps ?

Roan la considérait avec un regard d'une intensité nouvelle, et Amy eut l'impression qu'il la déshabillait des yeux, mais d'une façon plutôt froide. Comme s'il estimait en homme d'affaires les avantages de sa proposition.

— Je ne pense pas, répondit-il finalement.

Amy le regarda, bouche bée.

— Comment ça ? Qu'avez-vous à me reprocher ?

Il s'écarta légèrement, sans cesser de la fixer, quoique moins intensément.

— Pour commencer, tu sembles avoir dix-sept ans. Etre majeure est une condition *sine qua non* pour devenir mon... amie.

— J'ai vingt-huit ans.

C'était humiliant de devoir insister pour qu'il accepte son offre, se dit-elle. Elle était plutôt jolie, sans compter que la plupart des hommes auraient sauté sur l'occasion d'avoir une femme à leur disposition en CDD.

— Tu n'es pas mon genre, expliqua-t-il sans la moindre délicatesse tout en s'adossant contre l'encadrement du lit.

— Et quel est donc votre genre ?

— Le genre soumise. J'aime dominer mes partenaires, expliqua-t-il devant l'expression surprise d'Amy. Le sexe à la papa, bien classique, ne me satisfait pas, et bien que l'idée d'acheter tes services pour un temps ne manque pas d'un certain attrait sulfureux, cela ne m'amuserait pas longtemps.

Agitée par un mélange dangereux d'excitation et d'anxiété, Amy sentit son cœur se mettre à battre à tout rompre. L'idée de devenir le jouet de cet homme l'émoustillait à un point qu'elle n'aurait pas su décrire. Sans le vouloir, l'image de Roan Cavello en train de la dominer s'imposa dans son esprit et son corps s'éveilla aussitôt. Elle inspira profondément pour chasser le trouble que cette étrange vision avait provoqué.

— C'est dans mes cordes, affirma-t-elle.

Il quitta son abandon nonchalant pour venir se pencher sur elle avec l'agilité d'un léopard, son visage à seulement quelques centimètres du sien.

— Tu veux être mon esclave ? Et pour combien de temps ?

Amy s'écrasa contre la tête de lit, troublée par sa proximité.

— Je ne sais pas.

Il se tut quelques instants, le regard concentré de celui qui s'adonne à de savants calculs.

— Trois mois, proposa-t-il finalement.

— Impossible, dit-elle sans devoir réfléchir. A la fin du semestre, je dois reprendre mon poste de professeur à la faculté d'Informatique.

— Hmm. Six semaines, alors, la durée des grandes vacances. Le jour de la rentrée tu seras libre de partir, ta dette sera payée.

— Comment être sûre que vous tiendrez parole ?

— Qui de nous deux a le plus de raisons de se méfier de l'autre ? C'est moi qui devrais poser la question, poupée.

— Je resterai jusqu'à ce que ma dette soit remboursée.

Un écho grave sembla accompagner ses mots, songea-t-elle, comme si elle venait de signer un pacte avec le diable.

— Tu n'as pas à t'inquiéter, petite tricheuse. Tu vas apprécier ton séjour ici, beaucoup plus que tu ne le mérites.

Encore une fois, Amy aurait voulu le contrecarrer, et encore une fois, elle s'en abstint. Aussi insensé et inopportun que cela fût, elle se sentait terriblement attirée par cet homme, et c'était avec plus d'excitation que de crainte qu'elle envisageait la perspective de ces six semaines sous la domination passionnée de Roan Cavello.

Sauf qu'elle n'avait pas prévu que cela prendrait effet sur-le-champ. Elle laissa échapper un cri de surprise lorsque Roan saisit ses poignets et s'allongea sur elle, l'emprisonnant contre le matelas.

— Scellons ce pacte par un baiser, murmura-t-il.

Amy tourna la tête pour esquiver ses lèvres, décontenancée par la tournure imprévue des événements.

— Lâchez-moi.

— Tu ne vas nulle part, poupée, dit Roan en glissant sa jambe entre les siennes. Mais tu n'as pas vraiment envie de t'échapper, n'est-ce pas ?

Amy nia d'un geste muet, se demandant, désespérée, comment

se tirer de cette situation. Roan s'allongea entre ses jambes, et elle sentit son membre durci collé contre son sexe. Seulement quelques couches de tissu séparaient leurs deux corps, songea-t-elle, et la pensée fit monter en flèche son excitation. D'instinct, elle se cambra contre lui pour resserrer leur étreinte.

— S'il te plaît, pria-t-elle, d'une voix affaiblie.

— S'il me plaît, quoi ? « Laisse-moi aller » ? murmura-t-il, frôlant sa bouche avec le bout de sa langue. Ou s'il te plaît, « baise-moi jusqu'à ce que j'oublie mon nom » ?

La sensualité qui se dégageait de cette caresse humide eut raison de sa résistance et elle ouvrit les lèvres avec un gémissement éperdu. En même temps qu'il explorait sa bouche avec une langue hardie et savante, Roan pressa davantage son sexe entre ses cuisses.

Amy balbutia des propos incohérents, consciente que son corps l'avait trahie avec une réponse plus explicite que tous les mots. Elle sentait le bout de ses seins se dresser contre son T-shirt, et son sexe gonflé comme un fruit mûr, impatient d'accueillir celui de Roan. Il devait sans doute deviner à quel point elle était troublée. Oui, il le savait, son regard satisfait le prouvait.

— Ce qui serait fort embêtant, continua-t-il. Si tu oublies ton nom, aucun de nous ne le saura.

Il s'interrompit pour l'embrasser de nouveau, avec des baisers légers et badins.

— Je crois qu'il vaut mieux que tu me dises comment tu t'appelles, dit-il. Au cas où.

— Amy, répondit-elle d'une toute petite voix.

Elle eut du mal à prononcer son propre prénom, car les seuls mots qui semblaient vouloir surgir de sa bouche étaient des demandes impérieuses pour qu'il finisse ce qu'il avait commencé. Et toutes les raisons pour lesquelles cela serait dangereux s'étaient effacées de son esprit. Jamais elle n'avait éprouvé un désir aussi étourdissant, et tout ce qu'elle voulait en ce moment, c'était se plonger sans délai dans ce gouffre vertigineux qui semblait s'ouvrir à ses pieds…

— Amy, répéta-t-il en l'obligeant à soulever les bras qu'il tint d'une seule main au-dessus de sa tête, contre le matelas. C'est délicat et féminin.

— Pourtant, tu as cru que j'étais un garçon, lui reprocha-t-elle, encore vexée.

Roan enroba un de ses seins avec sa main libre, jouant du pouce avec son mamelon enhardi, à travers le débardeur de coton.

— J'avais tort.

Il l'embrassa, sans cesser de caresser son sein. Il semblait apprécier ses gémissements de plaisir, à en juger par ses caresses de plus en plus appuyées.

— Cela veut dire bien-aimée, expliqua-t-elle, le souffle entrecoupé.

Roan posa la main à plat sur son sein, le serrant doucement.

— Bien-aimée…, susurra-t-il. Ma petite tricheuse bien-aimée.

Amy vit l'expression de son visage s'assombrir soudain, en même temps que la main sur son sein comprimait sa chair avec brutalité. Elle étouffa un cri de douleur et de surprise. Et la surprise, s'aperçut-elle, venait avant tout de la décharge de plaisir qui avait accompagné la douleur.

— Tu m'as fait mal, protesta-t-elle.

— Je sais, dit-il en plongeant ses yeux dans les siens.

Amy soutint son regard, sentant qu'un duel de volontés se jouait dans leur défi silencieux. Roan continuait à torturer son sein avec l'étau de sa main, et à son grand dam, son mamelon se dressait durci contre sa paume, comme un chien qui réclame l'attention de son maître.

— Ton corps sait déjà qui est son nouveau maître, dit Roan, comme s'il avait lu dans ses pensées. Ton esprit devrait suivre l'exemple.

— Provoquer une réponse physique, c'est facile, dit-elle, en s'efforçant d'effacer toute émotion de sa voix. Mais tu ne peux pas contrôler mon esprit. Cela ne fait pas partie de notre accord.

Roan rit, comme si la réponse l'amusait franchement.

— L'important, c'est d'en être convaincu, poupée.

Amy lui lança un regard peu amène, mais la surprise remplaça son courroux lorsqu'il la relâcha et se releva. Décontenancée, elle croisa les bras sur sa poitrine, pour dérober à son regard les preuves de son excitation. Comment pouvait-il se comporter avec autant de détachement après ce moment de tension sexuelle insoutenable ?

— Tu es restée inconsciente un long moment, dit-il en consultant sa montre. D'habitude, je dîne à cette heure-ci. Rejoins-moi.

Elle mourait de faim, s'aperçut alors Amy, et elle repoussa l'envie puérile de refuser l'invitation pour le simple plaisir de le contrarier. D'autant que son estomac venait de la trahir, émettant un gargouillis inopportun.

— D'accord, concéda-t-elle enfin.

— Il faut d'abord que tu te changes.

— Me changer ? Mais je n'ai pas d'autres vêtements !

— Je te veux à ma table dans ton plus simple appareil, dit-il en fixant sa poitrine. Je veux avoir un accès facile au dessert.

— C'est absurde ! Je ne vais pas dîner nue, s'exclama-t-elle, sans cacher l'irritation que sa demande insensée lui causait.

Elle savait que, depuis tout à l'heure, tout ce que Roan faisait avait pour but de tester sa résolution, et bien qu'elle soit décidée à honorer sa part du marché, elle ne comptait pas accéder à cette sorte de caprice débile. Le sourire en coin qu'il arborait lui apprit que sa réaction l'amusait.

— Je te fournirai des vêtements lorsque l'occasion le requerra, et tu porteras ce que je voudrai quand je le voudrai. Et en l'occurrence, je veux que tu sois nue.

— Non, s'opposa-t-elle. Je… Tu ne peux pas m'obliger… C'est indécent !

Roan haussa les épaules.

— Tu ne sembles pas encore avoir compris les règles du jeu, donc je vais te clarifier la situation. Tu feras ce que je veux en toute occasion, comme tu t'es engagée à le faire. Et comme je sais que la journée n'a pas été facile, dit-il ensuite, d'une voix à peine plus douce, je veux bien me montrer indulgent pour ce soir. Je te laisse le choix pour cette fois, si tu ne veux pas dîner nue, tu peux ne pas manger, je ne compte pas te traîner de force dans la salle à manger.

Amy acquiesça en silence, ne se faisant pas confiance pour ne pas l'insulter si elle ouvrait la bouche.

— Si tu as vraiment faim, tu viendras me rejoindre selon mes conditions. Et sinon, tu peux rester ici, conclut-il en prenant le chemin de la porte.

— Attends, dit-elle, énervée de voir qu'il ne se retournait pas pour l'écouter. Tu ne peux pas me laisser mourir de faim !

Il ne se tourna pas non plus pour lui répondre.

— Je peux faire de toi ce que je veux, Amy, répliqua-t-il avec un rire froid qui lui donna des frissons. Et tu devrais le savoir, puisque c'est toi qui t'es mise dans cette situation en proposant de te mettre à ma merci.

Incapable de contenir sa colère, Amy saisit un oreiller et le lança de toutes ses forces contre Roan. Le coussin tomba mollement au pied de la porte qui venait de se fermer derrière lui.

— Va en enfer, cria-t-elle en espérant qu'il l'entende derrière l'épais panneau de bois.

Plutôt se faire hacher menu que se mettre à table nue avec ce sombre crétin, pensa-t-elle, bouillonnant de rage. Il pouvait mourir d'indigestion, elle n'en avait que faire. Et tant pis si elle mourait de faim : jamais au grand jamais, elle ne se plierait à ses conditions à la noix.

Chapitre 3

Au bout d'une heure, Amy quitta son lit, vaincue par les cris de famine de son estomac. De toute façon, Roan Cavello ne pouvait pas raisonnablement penser la laisser dépérir parce qu'elle refusait de s'attabler nue avec lui. Elle tendit l'oreille, tentant d'écouter ce qui se passait de l'autre côté de la cloison, mais aucun bruit ne lui parvint. Après s'être rafraîchie dans la salle de bains, elle traversa la chambre pour ouvrir d'un geste précautionneux la porte qui communiquait avec le reste de la suite. A pas de loup, elle traversa le luxueux salon où trônait un écran géant entouré de canapés noirs surdimensionnés. Personne. Elle avança encore vers la salle à manger, où elle découvrit une table, dressée pour deux convives. Roan avait déjà pris son dîner, déduisit-elle des plats empilés soigneusement à un bout de table, mais à l'autre, elle trouva une assiette couverte d'une cloche en argent.

Elle jeta une œillade par-dessus son épaule. Toujours personne. Sans plus s'encombrer de précautions, elle s'assit et souleva la cloche. Une appétissante entrecôte garnie de légumes primeur attendait qu'elle lui règle son sort. Elle attaqua l'assiette avec appétit, se rappelant à peine entre deux bouchées que Roan pouvait revenir d'un moment à l'autre. Quand elle eut fini, elle souleva une autre petite cloche. Des fraises à la chantilly. Parfait.

Avec gourmandise, elle picora un fruit qu'elle laissa fondre dans sa bouche, savourant avec délices la texture aérienne de la crème. Le mélange était aussi simple qu'exquis, et Amy ne put contenir un petit grognement de plaisir non dissimulé.

— Exactement le son que je voulais entendre.

Elle ouvrit grand les yeux et tourna la tête. Adossé contre le mur, sans veste ni cravate, Roan Cavello fixait sa bouche d'une manière parfaitement impudique. Elle avala de travers et se servit une longue gorgée d'eau, tandis qu'il la regardait s'étouffer sans bouger le petit doigt. Lorsqu'elle put de nouveau respirer librement, elle faillit s'étrangler en remarquant le renflement indécent qui bombait le pantalon de Roan.

Il s'approcha de la table, mais au lieu de s'installer en face d'elle, il vint se tenir dans son dos et posa les mains sur ses épaules.

— As-tu apprécié le dîner ?

Elle acquiesça en silence, incapable de parler, tétanisée par sa présence.

— Je sais, dit-il. Je t'ai regardée déguster chaque bouchée. J'ai remarqué aussi ton petit sourire satisfait. Tu étais ravie de m'avoir défié et de t'en tirer sans être punie, n'est-ce pas ?

Amy se retourna pour le regarder, les yeux agrandis par la surprise. Comment diable pouvait-il l'avoir vue ?

— Ceci est un casino, Amy. Je peux t'observer à chaque instant, vingt-quatre heures sur vingt-quatre, expliqua-t-il en pressant légèrement ses épaules. Mais quand tu as savouré ces fraises, je n'ai pas pu résister à l'envie de te rejoindre.

Elle baissa la tête, le cœur battant à tout rompre. Le contact avec Roan la troublait au plus haut point, mais cette fois-ci, la peur l'emportait sur l'excitation. Elle n'osait pas imaginer quelle serait sa punition de ne pas s'être déshabillée avant de passer à table.

— J'espère que tu as apprécié et le dîner et la provocation, ma petite tricheuse, parce qu'il est temps que tu payes pour les deux.

— Que veux-tu de moi ? s'enquit-elle, le visage tourné vers lui.

— Tout.

D'un seul geste assuré, Roan déchira le débardeur et glissa la main dans l'encolure en lambeaux pour entourer l'un de ses seins. Elle frémit.

— Je veux que tu te rendes à moi sans conditions, Amy. Je vais te faire oublier tout ce que tu es aujourd'hui, pour te tailler à la mesure précise du moindre de mes souhaits.

C'étaient des propos effrayants, pensa Amy. D'ailleurs, elle en était effrayée, mais… pas seulement. Ces mots éveillaient en elle un flux de désir obscur et inquiétant qu'elle n'avait jamais connu auparavant, qui la poussa à offrir son cou lorsque Roan plongea le visage dans le creux de son épaule. Il enfonça les dents dans sa chair, et elle laissa échapper un cri affolé, se cramponnant à la serviette qu'elle tenait à la main comme si cela pouvait l'aider à garder pied dans cette mare de sensations contradictoires.

— Pour apprendre à me plaire, murmura-t-il, il suffit d'une seule chose, très simple.

Amy humecta ses lèvres sèches.

— Et c'est… ?

— Obéissance.

Amy ferma les yeux, s'abandonnant aux étincelles de plaisir que les morsures de Roan envoyaient dans tout son corps. Elle sentit son sexe brûler avec toute l'excitation frustrée qu'elle avait dû contenir une heure plus tôt. Roan la fit se lever, face à lui, et lui ôta sans façon ce qui restait de son débardeur. Elle le laissa faire, et lorsqu'il s'agenouilla et l'attira vers lui, elle n'opposa pas non plus la moindre résistance.

Le seul geste qu'elle exécuta, ce fut d'enrouler la main autour de son cou pour glisser les doigts dans ses cheveux.

Roan l'embrassa d'un baiser affamé et exigeant. Il se comportait déjà en maître de son corps, pensa Amy, troublée par son assurance. Elle entrouvrit les lèvres pour lui donner satisfaction, timidement d'abord, jusqu'à ce que le désir la pousse à lui offrir sans plus de résistance la tiédeur de sa bouche. Elle répondait à ses baisers, de plus en plus enhardie. Avec un gémissement profond, elle l'attira contre lui, en un baiser encore plus vorace. Le gémissement de Roan se confondit avec le sien un bref instant, avant qu'il ne décide de rompre leur étreinte.

Il fit traîner sa langue le long de son menton et de son cou, s'arrêtant pour la mordre de nouveau sur ce point sensible qu'il avait éveillé un peu plus tôt, avec plus de force cette fois-ci, et elle ploya la tête, s'offrant encore davantage à lui.

— Tu aimes ça, n'est-ce pas ? dit-il.

Amy reconnaissait à peine les gémissements qui sortaient de sa bouche, de plus en plus forts selon que Roan augmentait la succion de sa bouche sur sa chair. Elle ondula des hanches, frustrée par la pression douloureuse de son jean contre son clitoris enflé.

— Tu es un nouveau jouet très cher, mais je pense que tu en vaux le prix, chuchota-t-il en penchant le visage sur ses seins.

La brutalité de ses propos la blessa plus que celle avec laquelle il happa le bout de son sein, mais elle ne répondit pas à la provocation. Roan Cavello n'avait que faire des raisons qui l'avaient poussée à tricher, comme elle se fichait des raisons pour lesquelles elle se trouvait dans ses bras.

Il avala son mamelon, dont il agaça la pointe avec des coups de langue affolants. Sans savoir comment il avait fait, elle se retrouva bientôt nue dans ses bras, frémissante et hors d'haleine. Alors, avec une dextérité qu'elle ne se connaissait pas, elle déboutonna la chemise de Roan et griffa du bout de ses ongles ses tétons durcis. Il accueillit son audace avec un grognement sauvage, et, enhardie, elle laissa une main glisser sous sa ceinture, surprise de sa propre témérité.

Lestement, Roan se redressa pour la renverser sur la moquette, ne s'écartant d'elle qu'un bref instant pour envoyer valser sa chemise au fond de la pièce. Amy sentit son corps musclé couvrir le sien, et sa bouche qui traçait une ligne humide en direction de ses hanches. Tout son corps tremblait d'anticipation, et elle enfonça davantage ses mains dans la chevelure blonde. Lorsque le souffle chaud de Roan frôla son clitoris, elle s'arc-bouta pour mieux s'offrir à lui, oublieuse de toute pudeur.

— S'il te plaît, Roan.

Il souleva la tête lentement pour la regarder.

— Tu as un sexe magnifique, Amy.

Il plongea la tête et frôla très légèrement la commissure de son sexe du bout de la langue.

— J'ai envie de goûter à ta chatte…

— S'il te plaît, le supplia-t-elle avec un sanglot de frustration, fais-le…

— Pas tout de suite. Je préfère attendre que tu sois lisse comme la soie.

— Pardon ? demanda-t-elle, bouche bée.

— Ce joli duvet doit disparaître, poupée, dit-il en frôlant sa toison avec la paume de sa main. Mais ne t'inquiète pas, je m'occuperai des détails pratiques sans tarder, j'ai hâte d'y goûter.

Il souffla de nouveau sur son clitoris, glissant un doigt à l'intérieur de son sexe humide. Amy gémit, suffoquée par les sensations qui se déchaînaient en elle. Elle enfonça ses ongles dans l'épaisse moquette, les yeux fermés, remuant des hanches pour accompagner les va-et-vient de plus en plus rapides de sa main, fébrile d'atteindre l'orgasme qui montait en elle de façon imparable. Soudain, Roan retira sa main.

Elle rouvrit les yeux, ulcérée.

— Mais je n'ai…

Il lui mit sur les lèvres le doigt qui venait de quitter son corps brûlant de désir.

— Shut, dit-il. Tu vas jouir, je te le promets, mais tu es tellement mouillée, que je veux être en toi.

Il se pencha pour ôter son pantalon, et Amy sentit soudain la crainte l'envahir. Qu'était-elle en train de faire ? Elle aurait voulu protester, trouver quelque chose à dire, mais avant qu'elle ait réussi à rassembler ses idées, Roan s'allongea de nouveau entre ses cuisses.

Il glissa les bras sous sa taille pour la soulever légèrement, et elle sentit le duvet de sa poitrine chatouiller la peau sensibilisée de ses seins. Tout cela était nouveau pour elle, et malgré son excitation, toutes les raisons pour lesquelles elle devait se refuser à lui refirent surface. Cet homme ne la considérait pas comme une personne mais comme un objet, un jouet sexuel à sa merci, qu'il utilisait pour se rembourser d'une somme d'argent.

Ses bonnes intentions tombèrent à l'eau lorsque le membre durci de Roan s'insinua à l'orée de son sexe. Elle contint son souffle. Il avança de quelques millimètres, avec une lenteur calculée, sadique. D'instinct, elle enlaça ses jambes autour de sa taille pour mieux répondre à ses mouvements, et Roan la pénétra complètement, portant tout le poids de son corps sur elle pour la plaquer contre le sol.

— Oh, c'est... c'est...

La sensation était si puissante qu'Amy n'avait pas de mots pour la décrire. Elle enfonça ses ongles dans le dos musclé de Roan et hissa son bassin pour qu'il puisse entrer encore plus loin en elle. Dans cette position, le ventre de Roan frottait contre son clitoris à chaque mouvement, et elle sut qu'elle ne finirait jamais la phrase qu'elle essayait d'articuler. Ses cris étaient devenus des râles animaux, qui redoublèrent lorsqu'il s'empara de ses fesses d'une poigne de fer pour la soulever et la pénétrer encore plus profondément. Le plaisir fut si violent qu'il se confondait avec la douleur, et, sans qu'elle comprenne ce qui se passait, la sensation déclencha un orgasme foudroyant. Elle sentit les muscles de son sexe se contracter autour de Roan, et ses cris de délivrance retentirent dans la pièce.

Roan grommela quelque chose d'incompréhensible en atteignant l'orgasme à son tour, et il donna encore quelques coups de reins avant de s'écrouler sur elle. Ils restèrent alanguis, leurs membres emmêlés, pendant quelques minutes, ou quelques siècles, Amy n'aurait su dire.

Allongée contre lui, la tête enfouie contre son torse, elle se laissa bercer par les battements de son cœur qui reprenaient peu à peu un rythme normal. Finalement, Roan roula sur le côté, et se leva.

Amy le regarda enfiler sa chemise avec des gestes mécaniques. Elle sentait son corps si repu de plaisir qu'elle aurait pu s'endormir sur place, et dut faire appel à toute sa volonté pour se redresser. Roan n'avait pas encore dit un seul mot.

— J'ai besoin d'une douche, dit-elle en se levant enfin.

Il ne répondit pas et, sans rien ajouter, elle se dirigea vers la chambre.

Une fois dans la salle de bains, elle ferma le loquet et s'abandonna à la volupté de l'eau chaude. Elle se savonna longuement, comme pour effacer toutes les traces de l'expérience, et ce ne fut qu'alors qu'elle reconnut cette sensation de vide qui l'envahissait. C'était de la déception, mais pas sur un plan physique, non. De ce côté-là, elle avait atteint des sommets qui dépassaient tous ses fantasmes. Mais d'un point de vue émotionnel, cela faisait mal. Il n'y avait rien entre Roan et elle que cette attraction intense, et la certitude arrogante qu'il détenait de pouvoir faire d'elle ce qu'il voudrait.

Et ce qui la vexait le plus, c'était qu'il avait probablement raison. Il y avait quelque chose en Roan Cavello qui la poussait à vouloir lui plaire à tout prix, aussi insensés que fussent ses caprices. C'était une facette d'elle-même qu'elle découvrait avec lui, et, à vrai dire, elle était plus excitée qu'effrayée de voir jusqu'où Roan Cavello pourrait l'emmener.

Chapitre 4

Après une nuit de sommeil profond, Amy se réveilla reposée et en pleine forme. Son inconscient avait dû travailler à marche forcée, songea-t-elle, parce que, sans savoir vraiment comment elle en était arrivée là, elle se sentait relativement en paix avec sa nouvelle situation. Tant mieux, se dit-elle en enfilant un peignoir imprégné de l'odeur de Roan qui lui rappela tout ce qui s'était passé entre eux la veille. D'un pas léger, elle quitta la chambre à la recherche d'une tasse de café.

Son insouciance s'évanouit aussitôt qu'elle mit un pied dans le salon. Sur l'un des canapés, deux femmes superbes sirotaient un thé à petites gorgées. Le raffinement de leurs tenues respectives les classait d'emblée comme des habituées des lieux, et Amy ne put s'empêcher de se trouver quelconque face à leur beauté sophistiquée. Elle avança timidement vers elles, se sentant comme une lycéenne appelée dans le bureau du Principal.

— Bonjour ?

Les deux inconnues l'examinèrent lentement de la tête aux pieds, sans daigner lui rendre ses salutations, bien que, apparemment, elles aient plein de choses à se dire à son sujet en français.

Amy supporta leur impolitesse pendant trente secondes avant de décider qu'assez était assez, et d'avancer vers la cuisine, alléchée par l'odeur du café chaud. L'une des femmes claqua des doigts, mais Amy refusa de tourner la tête. Si elles voulaient attirer son attention, qu'elles apprennent d'abord les bonnes manières. Elle n'était pas un chien, bon sang, même si elle était le nouveau jouet du patron et que ces deux-là semblaient en être déjà au courant.

— *Mademoiselle* ? dit l'une des inconnues.

Voilà qui était mieux. Amy se tourna vers la femme qui condescendait à lui adresser la parole.

— Oui ?

— M. Cavello nous a demandé de vous *refaire*.

— Pardon ? demanda Amy, déconcertée.

L'autre Française lança un éclat de rire aigu.

— Charlène, le mot est *relooker*, comme chez nous, corrigea-t-elle, dans un anglais beaucoup plus clair.

— *Mademoiselle*, nous sommes chargées de revoir avec vous *les principes basiques de la beauté*.

Amy écarquilla les yeux.

— Merci, mais non, répondit-elle sèchement. Je me trouve bien comme je suis.

— Je vois, commenta la dénommée Charlène, haussant un sourcil parfait. Mais M. Cavello nous a bien recommandé de ne pas accepter un « non » comme réponse.

Amy tenta de faire bonne figure, malgré la colère qui l'animait. De la colère contre lui, mais surtout contre elle-même. Comment avait-elle pu imaginer un seul instant qu'elle aurait le pouvoir de s'opposer à un ordre de Roan Cavello ?

— Comme vous voudrez, marmonna-t-elle enfin, mais j'ai quelque chose à faire d'abord.

Et elle tourna les talons vers la cuisine, ravie de voir la moue pincée des deux pimbêches obligées de patienter. Elle chercha dans les placards une grande tasse, qu'elle remplit du café odorant et encore chaud. Ce fut alors qu'elle vit le téléphone fixé au mur. Elle posa la tasse et se saisit du combiné, sauf que… elle n'avait personne à appeler. Joindre Kevin à son hôtel risquait de mettre Cavello sur sa piste ; l'étudiante à qui elle avait prêté sa chambre d'amis pendant le dernier trimestre était partie, et elle n'avait pas d'ami proche à Las Vegas... Personne ne l'attendait nulle part, à l'exception de son oncle et sa tante, qu'elle ne voulait inquiéter sous aucun prétexte. Ils avaient déjà assez avec leurs propres soucis, songea-t-elle, ce n'était pas la peine d'ajouter à leur fardeau.

Avec un soupir de défaite, Amy reposa le combiné et finit son café, avant de retourner dans le salon, déterminée à en finir avec cette « réfection » aussi vite que possible. Et inutile de se voiler la face, pensa-t-elle, pour cela, il fallait qu'elle permette à ces deux femmes de la façonner au goût de Roan.

Pendant un temps qui lui parut interminable, Amy se soumit sagement aux soins que les deux femmes lui infligeaient : elle se laissa couper les cheveux, appliquer des mèches ambrées, épiler les sourcils. Dans son emploi du temps serré de professeur d'université, c'était le genre de choses qui passaient à la trappe, mais, en tant que maîtresse soumise de Roan Cavello, se raisonna-t-elle, il s'agissait sans doute d'une priorité essentielle.

Mais c'était tout de même une position peu flatteuse, pensa-t-elle, allongée sur la table de massage que les deux femmes avaient dépliée, vêtue seulement d'un soutien-gorge ivoire. Dix minutes plus tôt, lorsqu'elles lui avaient accordé une petite trêve, elle en avait profité pour retourner dans la chambre, à la recherche de quelque chose pour se couvrir et cesser de se balader en peignoir à côté de leurs tenues dignes d'un magazine de mode. A sa grande surprise, elle avait trouvé dans le dressing de Roan un tiroir empli de vêtements de femme exactement à sa taille, dont quelques ensembles de lingerie sans doute très chers. Elle avait enfilé l'un d'eux, en dentelle ivoire, ainsi qu'une robe légère qui semblait avoir été taillée sur mesure. Peine perdue, avait-elle compris lorsqu'elle était retournée dans le salon, car les deux femmes avaient insisté pour qu'elle se déshabille de nouveau. Et maintenant, tandis que l'une d'elles s'occupait de sa manucure, l'autre vaquait à l'épilation du maillot.

Pour rajouter à son humiliation, Roan choisit ce moment pour entrer d'un pas nonchalant dans la pièce. Amy lui en voulait terriblement pour cette matinée de torture, mais avant qu'elle ait pu lui faire le moindre reproche, l'esthéticienne arracha une bande de cire d'un coup sec et rapide. Amy cria de douleur. Impassible, sa tortionnaire s'attaqua au duvet qui couvrait ses zones intimes, et Amy hurla de plus belle. Sans exprimer la moindre gêne, et d'ailleurs sans dire un seul mot, Roan vint prendre place exactement en face de ses jambes écartées. Amy sentit ses joues brûler. Il fit glisser ses doigts sur sa peau traumatisée, et elle contint sa respiration. Malgré le picotement cuisant qui agaçait sa peau, son clitoris s'éveilla au contact de la main de Roan.

— Très agréable, Estelle, approuva-t-il d'un air satisfait.

La dénommée Estelle lui offrit un sourire mielleux.

— C'est toujours un plaisir pour moi, de satisfaire vos demandes, monsieur.

Et à la façon dont l'esthéticienne se pencha vers son patron, Amy n'eut aucun doute quant à la véracité de ses propos.

— Nous avons fait de notre mieux, monsieur, mais ce n'était pas facile d'arriver au résultat que vous souhaitiez. Quand vous avez parlé d'un diamant brut, nous ne pouvions pas imaginer à quel point vous aviez raison.

— Je croyais que l'impolitesse des Français n'était qu'un mythe, intervint alors Amy en lui lançant un regard assassin. Jusqu'à aujourd'hui.

Sa petite pique n'attira l'attention d'aucune des personnes dans la pièce, remarqua-t-elle, agacée. Estelle était trop occupée à aguicher Roan, tandis que lui l'examinait d'un œil critique de la tête aux pieds. Après un long moment, il hocha la tête.

— C'est stupéfiant. Elle est belle, dit-il.

— *Elle* est présente, siffla Amy entre ses dents.

Charlène se leva de son tabouret.

— J'ai fini la manucure, Estelle. Désirez-vous autre chose, monsieur ? dit-elle, avec un sourire suggestif à l'intention de Roan.

Roan leva les yeux vers Amy, qui soutint son regard avec une expression furieuse. Il esquissa un sourire diabolique.

— Un peu d'intimité seulement, mesdames, dit-il, d'un ton plein de sous-entendus.

Ahurie, Amy le regarda plonger la tête entre ses jambes. Un cri suffoqué d'embarras lui échappa lorsque Roan se mit à embrasser son sexe alors que les deux femmes se trouvaient encore dans la pièce et ne perdaient pas une miette de ce qui se passait. Elle tenta de serrer ses cuisses, mais il l'obligea sans effort à les garder écartées. Elle sentait les caresses humides qui tournaient autour de son clitoris, l'aguichant avec des coups de langue affolants, et finalement le plaisir l'emporta sur la pudeur. Oublieuse de toute autre chose que ces sensations qui s'emparaient de sa volonté, Amy se cambra pour qu'il ait un accès total à son corps. Roan continua à la lécher, enflammant encore son excitation.

Un geignement étouffé attira son attention, et elle entrouvrit les yeux pour apercevoir Charlène et Estelle, dont l'expression trahissait la jalousie. Bien fait pour elles, pensa Amy, ouvrant ses jambes davantage pour qu'elles puissent mesurer de façon certaine ce qu'elles rataient. Quelque chose de sauvage s'éveilla en elle, un sentiment étrange de jouissance de les savoir spectatrices du plaisir que Roan lui procurait. Elle aimait sentir qu'elles voulaient être à sa place, oui, mais elle savait aussi que si les deux femmes n'avaient pas eu cette attitude cavalière, elle n'aurait pas ressenti cette joie mauvaise à les voir vertes d'envie.

Ou peut-être qu'en n'importe quel cas, lui souffla une petite voix, elle aurait été excitée par cette incartade exhibitionniste...

Alors qu'elle était déjà suspendue dans les limbes du plaisir, Roan releva soudain la sa tête et se tourna vers les deux femmes.

— Mesdames ?

Avec un petit sursaut, Charlene et Estelle quittèrent la pièce sur-le-champ. Le temps d'une seconde, Amy fut tentée de les rappeler. Sans qu'elle sache d'où venait cette pulsion, une part d'elle aurait voulu qu'elles regardent Roan lui faire l'amour, et savoir que leur sexe gonflait d'envie alors que c'était elle qu'il prenait.

Mais elle ne se laissa pas distraire longtemps par les deux voyeuses. Maintenant qu'elle se trouvait seule à seul avec Roan, elle pouvait se concentrer sur ce qu'il lui faisait.

Mmm. Roan jouait avec sa langue autour de son clitoris, et Amy découvrait des sensations inédites chaque fois que ses lèvres frôlaient la peau nue de son sexe. Il absorbait dans sa bouche son clitoris avec une ferveur gourmande et désordonnée qui la rendait folle, et elle l'accompagnait avec d'impatients mouvements de hanches.

Roan rit tout bas, et son souffle chaud contre son petit bouton tout dur la fit frissonner. C'était tout simplement divin. Enfonçant ses doigts dans les cheveux de Roan, elle pressa son visage entre ses jambes, pour l'aider à aller plus loin. Mais il résista à sa pression, s'amusant à aguicher son clitoris avec la pointe de sa langue. Elle sentit son sexe frémir au bord de l'orgasme et gémit de plaisir, mais son gémissement se mua en un cri de reproche lorsque Roan s'écarta d'elle, au lieu de terminer ce qu'il avait commencé.

— Je n'ai pas…, protesta-t-elle.

— Je sais. Viens avec moi, répondit-il en lui tendant la main, avec son sourire de mauvais garçon.

Perplexe et contrariée, Amy ignora son geste et se releva toute seule. Elle se sentait plus nue que jamais, maintenant qu'elle n'avait même plus sa toison pour cacher son intimité. C'était comme si son sexe avait doublé de volume, mais c'était sans doute dû à l'état de surexcitation dans lequel Roan l'avait laissée de façon si cavalière…

Malgré ses protestations, il prit sa main et avança vers une partie de la suite qu'elle n'avait pas eu le temps d'explorer. Quand ils furent arrivés au bout d'un couloir, il poussa une porte et la fit entrer dans une pièce. Amy regarda autour d'elle, trop choquée par ce qu'elle voyait pour dire quoi que ce soit. Des chaînes pendaient aux murs, ainsi qu'un vaste assortiment de cravaches et fouets. Une table assez élevée, dont le plateau était doublé de cuir matelassé trônait au centre de la petite pièce. Un cachot, il n'y avait pas d'autre mot, songea-t-elle, paniquée. Dans quel enfer était-elle venue se fourrer ? Elle tenta de se dégager de l'étreinte de Roan, sans succès.

Sans faire le moindre cas de sa résistance, il la souleva lestement et la posa sur la table, avant de s'allonger sur elle pour la dominer de son poids pendant qu'il immobilisait l'un de ses poignets à l'aide d'un bracelet métallique vissé à la table. Elle le repoussa avec sa main libre, qu'il maîtrisa sans effort, l'attachant aussitôt avec l'autre bracelet. Elle s'agita violemment, tentant d'ébranler ses attaches, sans succès, en même temps qu'elle tentait de le frapper avec ses jambes, avec le même résultat. Elle secoua sa tête pour repousser les cheveux qui couvraient son visage.

— Mais qu'est-ce que tu fais ? cria-t-elle. Qu'est-ce qui se passe ?

Sans répondre, Roan se tourna vers le mur, caressant les instruments qui s'y trouvaient accrochés. Avec un petit grognement de satisfaction, il arrêta son choix sur une fine cravache en cuir et revint vers elle.

— Tu sais très bien ce qui se passe, dit-il d'une voix suave. Je veux le nom de ton complice.

— Tu n'as pas le droit ! protesta-t-elle. Je n'ai pas accepté ce type de pratiques.

— Comment ça ? Bien sûr que si, répondit-il, sans changer de ton, caressant son mollet avec le bord plat de la cravache.

— Non ! J'ai consenti à devenir ta maîtresse, mais je ne me suis jamais engagée à… ce genre de trucs.

Il rit de bon cœur.

— Tu aurais dû spécifier à quoi tu étais prête à consentir lorsque tu t'es engagée à devenir mon esclave, Amy. J'ai détecté un grand potentiel de soumission en toi, tu sais, et j'entends le faire éclore. Je t'avais dit que je le ferais, et tu as choisi de rester.

— Je n'ai pas choisi, protesta-t-elle. Je n'avais pas le choix !

Elle écarta sa jambe pour se dérober au contact de la cravache, troublée de découvrir que le doux grincement du cuir sur sa peau ne lui déplaisait pas du tout. Au contraire.

— Tu aurais pu opter pour la police, répliqua Roan, caressant maintenant l'intérieur de sa cuisse. Donc par défaut, tu as choisi… ça. D'ailleurs, c'est toi qui l'as suggéré.

— Jamais je ne l'aurais fait si j'avais su exactement ce que tu avais en tête.

— Si, tu l'aurais fait, dit-il, remontant la cravache un peu plus haut.

A son grand dam, Amy se sentit fondre sous la caresse insidieuse du cuir. Elle lutta pour maîtriser la réponse fébrile de son corps, mais elle ne put contenir un gémissement lorsque Roan écarta doucement ses lèvres avec l'instrument pour aguicher son clitoris.

— Mais ne t'inquiète pas, poupée. Cela ne te fera pas mal. Enfin, pas trop, ajouta-t-il en frappant soudain son sexe d'un coup léger.

Amy tressaillit. Elle aurait voulu protester, mais la sensation était aussi cuisante que… voluptueuse.

— Que veux-tu de moi ? balbutia-t-elle.

— Tu es en train de payer ta dette, mais tu ne m'as pas encore donné l'information que je te demande.

Il frappa de nouveau, lui arrachant un nouveau cri étouffé.

— Donne-moi ce que je souhaite, et tu obtiendras ce que tu veux, dit-il en effleurant la commissure de son sexe avec le bord de la cravache.

— Ce que je veux ? dit-elle dans un souffle.

— Oui, Amy. Tu veux jouir.

— Je peux m'en passer, le brava-t-elle.

— C'est ce que nous allons voir.

Il se mit alors à caresser son clitoris avec le plat de la cravache, doucement, en un mouvement terriblement excitant. Amy s'efforçait d'ignorer les sensations affolantes qui l'envahissaient, mais son corps semblait en avoir décidé autrement. Elle luttait contre le plaisir, serrant les dents pour ne pas laisser échapper le moindre soupir, mais elle ne pouvait pas contenir le déhanchement instinctif de son bassin, qui ondulait au rythme des caresses de plus en plus appuyées et profondes de Roan. Ses poumons lui semblaient sur le point d'exploser, mais elle ne céda pas à l'envie de crier. Elle se savait au bord de l'orgasme, et peut-être qu'elle arriverait à jouir avant que Roan ne s'en aperçoive. Sauf qu'il retira la cravache à ce même moment, lui en ôtant la possibilité. Avec rage, elle ravala les larmes de frustration qu'elle sentait poindre. Elle ne donnerait pas cette satisfaction à ce monstre sadique.

— Salaud !

— Allons, un peu de sang-froid, dit-il en claquant d'un coup sec la cravache contre sa hanche.

Elle cria et tenta de l'atteindre d'un coup de pied.

— Puisque tu le prends comme ça…

La poitrine opprimée par la peur, Amy le regarda poser la cravache et contourner la table. Il se saisit de sa cheville, mais elle se débattit comme elle put pour échapper à son emprise.

Peine perdue.

Il était en position de force, et ne tarda pas à l'attacher avec un troisième bracelet qui pendait au pied du lit. Elle jura et l'insulta, dépitée.

Il caressa son pied libre.

— C'est plus facile pour moi si je ne dois pas t'attacher celui-ci aussi, mais je le ferai si tu m'y obliges. Maintenant, sois gentille et tourne-toi. A quatre pattes.

Amy fixa ses yeux, le temps de décider s'il valait la peine de résister davantage. La détermination froide qu'elle lut dans son regard pencha enfin la balance en faveur de l'obéissance, et avec un soupir agacé, elle obtempéra. Ce n'était pas facile, avec trois membres entravés, mais elle finit par adopter la position ordonnée par Roan et, le cœur serré, elle attendit, sans vouloir songer à ce que l'avenir immédiat lui réservait.

La cravache claqua contre ses fesses dans un coup sourd, comme la douleur qui crispa ses terminaisons nerveuses. Son cri fut couvert par la voix menaçante de Roan.

— Qui était ton complice ?

— Je ne te le dirai pas.

Sa réponse lui valut un autre coup, et une larme solitaire coula sur sa joue.

Roan répéta la question, et elle s'enferra dans sa réponse. Il la fessa, encore et encore. Pendant les quelques minutes qui suivirent, on n'entendit dans la pièce que les claquements du cuir sur sa chair, et les râles étouffés qu'elle ne parvenait pas à contenir. Finalement, les coups cessèrent.

— Nous allons devoir essayer une nouvelle approche, l'entendit-elle dire dans son dos.

Elle aurait voulu se rouler en boule et l'oublier, c'était horrible d'être ainsi attachée sans même pouvoir frotter son derrière meurtri, mais elle dut se contenter de fixer le mur devant elle en attendant dans un silence obstiné. Elle ne pouvait pas voir ce qu'il faisait, et tenta de se convaincre qu'elle s'en fichait, mais elle sursauta, tous les sens en alerte, lorsqu'il posa la main sur sa hanche avec une douceur caressante.

— Brave fille, dit-il. Tu n'as pas cédé. C'est bien.

Amy sut qu'il était penché sur elle à l'haleine tiède qui frôla le bas de son dos. Roan déposa un baiser au creux de ses reins.

— Je suis impatient de passer à la suite, dit-il.

— Tant mieux pour toi, répondit-elle, la voix pleine de larmes.

Oh, mais qu'est-ce qu'elle avait à craquer maintenant ? se

désola-t-elle. D'accord, elle avait mal, mais elle n'était pas douillette. Ce qui la blessait le plus, comprit-elle, c'était le sentiment de trahison qu'elle éprouvait, ce qui, d'un point de vue rationnel, était parfaitement stupide. Roan ne lui avait rien promis, donc il ne manquait à aucune parole donnée. Sauf qu'après l'expérience de la veille, elle avait bêtement cru que son rôle de soumise allait être une partie de plaisir. Et cette séance de jeux scabreux brisait désormais ses espoirs. Maintenant, en dépit de ses sens en éveil, elle avait peur.

Elle entendit les pas de Roan autour de la table, et il apparut dans son champ de vision. Elle refusa de le regarder, et il souleva son visage pour l'obliger à affronter ses yeux.

— Je serai honnête avec toi, dit-il. Tu vas aimer ce qui vient ensuite, mais je ne te cacherai pas que certains passages seront, hum, douloureux. Es-tu sûre de vouloir continuer ? Ne préfères-tu pas me donner le nom de ton complice ?

Elle écarta la tête pour se libérer de sa main. Elle ne parlerait pas. Roan tapota sa tête comme on félicite un chien.

— Brave fille, répéta-t-il. C'était exactement la réaction que j'espérais.

Amy tenta encore de se débattre lorsque Roan la poussa doucement pour la remettre sur le dos. Sans grand effort, il réussit à l'allonger comme il voulait, et lorsqu'il prit sa cheville libre pour l'enchaîner aussi à la table, elle n'eut plus la force de batailler. Même dans ses pires cauchemars, elle n'avait imaginé se trouver un jour attachée à une table, bras et jambes écartés, à la merci d'un homme pratiquement inconnu. Elle aurait même préféré ne pas porter ce soutien-gorge, qui semblait souligner de façon encore plus humiliante sa nudité et son sexe à découvert.

Roan dessina avec son doigt le contour de ses seins.

— Il est beau, ce soutien-gorge.

— C'est toi qui l'as choisi, répliqua-t-elle sèchement.

— Non, ce n'était pas moi, dit-il avec un sourire. J'ai téléphoné à la boutique du casino et demandé à Marlene de faire monter dans ma suite une sélection de vêtements à ta taille.

Il poussa un soupir faussement contrit.

— C'est vraiment dommage, d'ailleurs. Il va être fichu.

— Quoi ?

Sans qu'elle ait eu le temps d'anticiper son geste, elle sentit les mains chaudes sur ses seins et entendit le crissement du tissu déchiré. L'élastique s'enfonça dans sa chair comme une morsure brûlante avant de tomber comme une peau morte sur les côtés.

Roan s'éloigna quelques secondes, et elle entendit un cliquètement indéfinissable au fond de la pièce. Des glaçons, comprit-elle lorsque Roan revint et appliqua quelque chose de très froid sous la courbe de son sein. Elle tressaillit sous la caresse glacée.

— C'est agréable, n'est-ce pas ? dit-il. C'était une bonne idée d'installer dans cette pièce un petit Frigidaire.

Incapable de former la moindre phrase cohérente, Amy se sentait chamboulée par la nuée de sensations contradictoires qui traversaient son corps. Sa respiration était devenue une suite irrégulière de halètements. Roan fit alors glisser un deuxième glaçon autour de son autre sein, et y traça des cercles sans lui laisser de répit. Le froid contractait sa peau, elle sentait ses mamelons se rétracter à un point qui devint insoutenable lorsqu'il plaqua longuement les deux cubes glacés sur la pointe de ses seins. Elle tenta de se dérober.

— Arrête, supplia-t-elle.

— Si seulement tu y tenais vraiment, répondit-il, sans bouger d'un iota. Amy, tu sais que tu peux cesser tout ceci quand tu veux. Il suffirait de dire un mot.

— Salaud, siffla-t-elle.

— Pas ce mot-là, dit-il avec un petit rire.

Des gouttes glacées coulaient sur ses seins avec une lenteur atroce, tandis que la froideur pénétrait sa chair au point de l'insensibiliser : elle ne sentait plus ses mamelons. Au bout d'un temps qui lui sembla interminable, les glaçons finirent pour fondre et elle prit une longue inspiration. C'était à la fois l'expérience la plus humiliante qu'elle ait jamais vécue et la plus excitante. Malgré la douleur, malgré la frustration, la morsure du froid sur ses seins avait éveillé en elle un étrange plaisir, et en prendre conscience ne fit qu'augmenter son trouble. Mon Dieu, avait-elle réellement aimé ça ?

Mais avant qu'elle puisse réfléchir plus avant à la signification de ce qui venait de se passer, Roan revint vers elle avec quelque chose dans la main qui produisait un léger tintement métallique. Qu'allait-il inventer cette fois-ci ? N'en avait-il pas assez ?

Apparemment, non. Et une petite voix au fond d'elle lui criait que sa propre curiosité n'était pas non plus assouvie.

Elle ne put distinguer l'objet qu'il tenait, d'ailleurs, elle avait l'impression qu'il faisait exprès de cacher son jeu, et elle tenta de se préparer au pire lorsqu'il frôla de nouveau ses seins.

Le bout de ses seins était encore engourdi, mais pas au point qu'elle ne puisse sentir que Roan avait posé quelque chose autour d'un mamelon d'abord, ensuite de l'autre. Il recula et contempla son œuvre avec un petit sourire de satisfaction.

— J'imagine que pour l'instant c'est supportable, mais nous allons attendre que tes seins récupèrent leur sensibilité. Tu me diras alors ce que tu penses de ces pinces.

Elle lui lança un regard noir, refusant de parler, mais sans le quitter des yeux pendant qu'il se saisissait d'un coussin allongé qu'il fit glisser sous ses hanches. Amy regarda vers son ventre et son sexe, exposé comme prêt au sacrifice.

— En ce qui me concerne, dit Roan, tout va pour le mieux. Tu peux continuer à te taire, car ce joli minet va me dire autre chose que je veux savoir.

Il glissa un doigt le long de sa fente, s'attardant sur son clitoris enflé.

— Tu vois ? Ceci me dit que tu as aimé ces petites punitions, commenta-t-il d'un ton désinvolte, posant sa main en coupe sur son sexe. Tu as aimé les menottes… La fessée… Les pinces…

Il rythmait son énumération avec des tapes de plus en plus appuyées sur son sexe. Amy tressaillait à chaque impact.

— Tu vois ? continua-t-il en lui montrant sa main luisante des sucs de son corps, avant de la frotter contre son ventre. D'ici à ce que tu aies acquitté ta dette, j'aurai pu mesurer ce que tu es capable d'endurer.

Il marcha vers un petit placard d'où il sortit une boîte qu'il posa sur la table. Amy suivait ses mouvements d'un œil nerveux. Roan souleva le couvercle et lui montra le contenu, et elle tressaillit.

— Ça, c'est pour tes fesses, dit-il en lui montrant un godemiché court et trapu, long d'à peu près dix centimètres, qu'il posa sur son ventre.

Elle secoua la tête, sentant la panique s'emparer d'elle.

— Mais non, mais non, dit-il d'un ton paternel. Tu ne devrais pas te montrer si rétive. Un de ces jours, je vais prendre ton joli petit cul, et tu seras bien contente de m'avoir laissé t'y préparer.

Amy le regarda enduire copieusement ses doigts d'un fluide épais et brillant. Du lubrifiant. Bon sang, jusqu'où comptait-il aller ? se demanda-t-elle, les yeux agrandis par l'appréhension. Ce n'était pas possible, non. Cela ne pouvait pas être en train de lui arriver, à elle, dans sa vie de prof bien rangée. Non, pensa-t-elle, serrant les dents.

Mais si.

— Détends-toi. Laisse-toi aller, cette partie va te plaire, tu verras.

Elle ravala ses protestations. Par crainte d'empirer sa situation, mais aussi, et peut-être surtout, parce qu'au fond d'elle, la curiosité la titillait. Jamais encore elle n'avait essayé ce genre de choses, jamais elle n'avait laissé un homme venir entre ses reins, et l'idée même de ce qu'il allait lui faire la troublait et l'excitait, même si elle se serait fait tuer plutôt que l'avouer.

— Vraiment, une fois que tu auras dépassé ta peur, tu vas apprécier, j'en suis certain, insista Roan en un murmure velouté.

En même temps qu'il parlait, il glissa un doigt entre ses fesses et commença à la caresser. Lentement. Avec délicatesse. Puis, après quelques secondes, son doigt s'insinua en elle.

Oh, Dieu.

La sensation, agréable ou désagréable, elle ne savait pas encore, lui donnait des frissons. Roan avança prudemment, elle ne pouvait pas voir sa main, mais elle le sentait au plus profond de son ventre. Il rebroussa chemin et répéta le processus. Une fois, et encore une autre.

Puis, avec l'air d'un bijoutier qui s'empare d'un bijou précieux, il saisit le godemiché et le couvrit généreusement de gel. Amy le regardait, fascinée, comme un papillon irrémédiablement attiré par la bougie où il va se brûler les ailes. L'objet était deux fois plus large que le doigt de Roan, et le corps d'Amy résista d'instinct lorsque Roan l'insinua entre ses fesses. Mais il continua à presser, doucement, sans la brusquer, mais sans jamais céder, gagnant de haute lutte chaque millimètre d'avancée.

Enfin, comme chaque fois depuis leur rencontre, Roan eut gain de cause. Le jouet se trouvait à présent profondément inséré dans son corps, et malgré ses grognements de protestations, une fois qu'elle fut arrivée à se détendre, elle s'aperçut que la sensation n'était pas si désagréable qu'elle avait pu le penser. Loin de là, même. Sa propre réaction la choqua. Non, elle ne voulait pas aimer ce genre de pratiques, et elle voulait encore moins que Roan ait raison lorsqu'il disait qu'elle était une soumise dans l'âme…

— Et maintenant, je vais trouver quelque chose pour cette jolie chatte impatiente.

Amy porta ses yeux sur sa braguette, qu'une érection indiscrète tendait. Il lança ce rire taquin qu'elle commençait à connaître.

— Non, ce ne sera pas moi, pas encore, dit-il.

Il sortit un autre vibromasseur de la boîte. Ciel, mais où allait-il chercher tout cela ? se demanda-t-elle, sans pouvoir dissimuler un gémissement lorsque Roan aguicha son clitoris avec le sex-toy, avant de l'introduire d'une seule poussée dans son sexe.

— Oh, Dieu, gémit-elle, tressaillant lorsque le jouet commença à vibrer.

Son cerveau lui semblait sur le point d'éclater, vaincu par le trop-plein de sensations, comme son corps, d'ailleurs. Ce n'était pas douloureux, cet écartèlement de sa chair, c'était... trop, tout simplement. Ou alors, c'était que le plaisir, au-delà d'un certain point qu'elle venait de franchir, se muait en ce mélange inquiétant de tourments et délices. Les vibrations devenaient des ondes de plaisir qui se répercutaient partout dans son corps. Jusqu'à quand Roan allait-il s'amuser à l'aguicher sans la faire jouir ?

— Dis-moi ce que tu ressens, murmura Roan, la voix rauque.

Amy se contenta de secouer la tête, non pas tant par obstination que parce qu'elle doutait de pouvoir articuler un seul mot.

— Dis-le-moi, insista-t-il.

— Non... c'est... trop.

Les mots peinaient à quitter sa gorge.

— Qui te donne tout ce plaisir ?

Amy se tut encore, déterminée à ne pas céder à ses demandes... du moins pas du premier coup.

— Qui ? répéta-t-il, remuant insidieusement le sex-toy dans son corps.

La stimulation supplémentaire la poussa au bord de l'orgasme. Qui avait donné à ce type les clés de son corps ? se demanda-t-elle. Comment arrivait-il à contrôler de façon si précise le niveau de son plaisir ? Pourquoi savait-il mieux qu'elle comment maîtriser son orgasme ?

— Toi, chuchota-t-elle enfin, vaincue.

— Dis mon nom. Dis que c'est moi qui joue de ton corps comme d'un violon, susurra-t-il en se penchant tout près de son visage, que c'est moi qui te dévoile tes désirs les plus obscurs. Qui te contrôle ?

— Roan, confessa-t-elle dans un soupir contrarié.

— Très bien, approuva-t-il, augmentant l'intensité des vibrations. Donne-moi maintenant le nom de ton complice.

Elle se mordit la lèvre, de peur que, dans son trouble, le prénom de son cousin ne se glisse entre ses gémissements. Aussitôt, Roan diminua la cadence, l'éloignant de nouveau de la jouissance. Elle s'arc-bouta et tortilla des hanches, tentant d'atteindre l'orgasme par ses propres moyens. Avec fierté, elle sentit que le plaisir revenait en vagues de plus en plus fortes… plaisir qui éveilla soudain la sensibilité de ses seins torturés. Elle cria de douleur, et Roan resserra les pinces, l'écartant de nouveau du point de non-retour. Tandis que le bas de son corps se débattait dans un tumulte de sensations sans nom, elle sentait la chair de ses seins à l'agonie. Entre martyre et jouissance, son corps balançait.

— Je vais retirer ces pinces, murmura-t-il, et tes mamelons seront si endoloris que tu auras envie de pleurer lorsque je les lécherai.

— Pourquoi me le dis-tu ? fulmina-t-elle. Je croyais que tu aimais par-dessus tout me laisser dans l'incertitude.

Roan l'embrassa brièvement sur les lèvres.

— Parce que peut-être que si tu sais ce qui t'attend, tu voudras l'éviter en me disant le nom de ton complice.

Amy ferma les yeux, pour tenter de se préparer à la suite, aussi bien pour elle-même que pour la sécurité de Kevin, même si, à présent, ses raisons pour le protéger étaient de plus en plus floues. Kevin avait sans doute quitté Las Vegas et il se trouvait déjà en route vers l'Oregon.

La douleur lancinante provenant de ses seins écarta toute autre pensée de son esprit lorsque, comme annoncé, Roan retira les pinces. Elle mordit sa langue, car le soulagement était si intense qu'il ajoutait à son supplice, mais elle ne put s'empêcher de gémir en sentant la langue de Roan sur sa peau. C'était insoutenable et… étourdissant. Des larmes emplirent ses yeux, plus de rage que de douleur. Il pressa ses lèvres autour du bourgeon meurtri, et un orgasme fulgurant se déclencha dans son ventre. La délivrance envoya partout dans son corps des secousses jouissives qui effacèrent le monde autour d'elle.

Elle cria son plaisir, ondulant instinctivement des hanches, en même temps qu'elle arquait son dos pour mieux offrir ses seins aux caresses de Roan. Elle planait si haut dans le plaisir qu'elle s'aperçut à peine qu'il s'était écarté d'elle. Une dernière secousse la laissa alanguie et repue, avec juste assez de forces pour entrouvrir les yeux. A ses pieds, Roan était en train de se déshabiller à la hâte, et elle n'avait pas eu le temps de deviner ses intentions qu'il avait déjà ôté les jouets de son corps.

Elle contint un accès de rire nerveux lorsqu'il défit les chaînes qui la retenaient d'une main impatiente, aussi impatiente que le geste avec lequel il jeta le traversin au sol. Ainsi, songea-t-elle avec un petit sursaut de satisfaction, elle n'était pas la seule à avoir perdu le contrôle. Elle devinait l'urgence qui dictait ses mouvements à la façon dont il se hissa sur la table et s'allongea entre ses cuisses.

D'instinct, Amy enlaça ses jambes autour de sa taille lorsque son membre durci se glissa en elle d'une seule poussée. Son propre sexe, encore palpitant par l'orgasme récent, se serra autour de son érection, embrasant son ventre de nouvelles sensations délicieuses.

— Bordel, grommela-t-il, enfouissant le visage dans ses cheveux. Oh, Amy, tu es…

Elle ne sut jamais ce qu'il voulait dire, car le reste de la phrase se mêla à des râles éperdus. Il la pénétrait aussi profondément que possible, et elle accompagnait ses coups de reins avec un déhanchement vorace, voulant encore plus, et encore davantage. Les quelques notes douloureuses qui accompagnaient ses mouvements ne faisaient qu'ajouter à son plaisir, et elle se blottit contre la poitrine de Roan, honteuse de prendre tant de plaisir dans cette situation qu'elle aurait dû juger humiliante. Un nouvel orgasme balaya ses scrupules et la contenance de

Roan, qui jouit avec elle dans une dernière poussée qui sembla le terrasser.

A sa grande surprise, Roan resta longuement dans son corps après avoir joui, et elle n'avait pas eu le temps de reprendre son souffle, qu'il commença de nouveau à bouger en elle, doucement cette fois-ci.

Elle accompagna ses mouvements d'un doux balancement de hanches, qui s'intensifia en cadence avec le rythme qu'il lui imposait. Abasourdie, elle accueillit une nouvelle décharge de plaisir qu'il partagea, leurs râles animaux résonnant à l'unisson. Leur écho vibrait encore dans la pièce lorsque Roan quitta son corps et glissa au sol, lui tournant le dos aussitôt. Elle le regarda sans le voir, toute son attention concentrée sur les sensations contradictoires qui emplissaient son corps, satisfait et meurtri en même temps.

Roan se tourna enfin vers elle pour la dévisager. Il avait le visage en feu, mais sa voix ne trahissait aucune émotion lorsqu'il parla.

— Je t'ai sous-estimée, poupée, dit-il.

C'était un compliment ou un trait d'ironie ? se demanda Amy, n'osant pas répondre avant de connaître la suite.

— Tu encaisses la douleur beaucoup mieux que j'aurais pu l'imaginer, continua-t-il avec un sourire en coin. Et avec volupté, au-delà de mes soupçons. Il se pourrait même que tu sois plus intéressante que je ne l'avais prévu.

Il se rapprocha d'elle et prit son visage entre ses mains, s'emparant avec voracité de ses lèvres. Elle ferma les yeux et résista une fraction de seconde, avant de le laisser l'embrasser à pleine bouche, comme s'il cherchait quelque chose au fond de ce baiser. Elle n'arrivait pas à deviner quoi, au juste. Et peut-être qu'il ne le savait pas non plus, songea-t-elle, lorsque Roan s'écarta brusquement avec un grognement de frustration.

— Je pense que nous allons essayer autre chose.

Elle sortit aussitôt de sa torpeur. Que pouvait-il encore avoir imaginé ? se demanda-t-elle, fixant sur lui un regard craintif tandis qu'il ouvrait les bracelets qui tenaillaient encore ses poignets.

— Quel genre de chose ?

— Tu verras en temps voulu.

Amy se tint devant lui, hésitant quant à l'attitude à adopter. Enfin, en voyant qu'il n'agissait pas, elle osa porter son regard sur la porte.

— Avons-nous fini, maintenant ? demanda-t-elle.

— Pour l'instant, dit-il, avec un sourire mécanique.

Amy préféra quitter le donjon avant qu'il ne puisse changer d'avis. D'un pas pressé, elle regagna la suite et se réfugia dans la cabine de douche. Mais toute l'eau chaude du monde, pensa-t-elle avec détresse, n'arriverait pas à laver le souvenir de cette facette obscure d'elle-même que Roan venait de révéler.

Roan laissa Amy partir sans tenter de l'arrêter. A quoi cela aurait-il servi, d'ailleurs, sinon à montrer qu'il se trouvait à court d'idées pour lui soutirer l'information qu'il convoitait ? Lorsqu'elle ne s'était pas laissé intimider par ses premières menaces, il avait décidé de tenter la manière forte. Ce qui, pensa-t-il, irrité contre lui-même, s'avérait à présent une grossière erreur de jugement. Mais en même temps, comment aurait-il pu prévoir qu'elle répondrait à ses agissements avec autant de flamme, au lieu de craquer et donner son complice, comme il s'y attendait ? Qu'elle ait encaissé la douleur avec autant de courage était déjà sidérant, mais à la réflexion, c'était sa propre attitude qui lui donnait du fil à retordre. Il s'était jeté sur elle sans la moindre retenue. Comment avait-il pu perdre le contrôle de la sorte ? se demanda-t-il, courroucé. Il avait pourtant l'habitude de maîtriser parfaitement ses émotions aussi bien que ses réactions. Aucune femme ne lui faisait perdre la tête comme aucun comportement ne le surprenait, parce que c'était ainsi qu'il le voulait. Des années d'aventures sexuelles, des plus classiques aux plus licencieuses, lui garantissaient une indéfectible possession de ses moyens. Ou du moins, c'était ce qu'il avait cru jusqu'à présent. Jusqu'à ce qu'Amy porte sur lui ce regard troublé par le désir qu'elle se surprenait d'évidence à éprouver. Moment où il avait compris qu'elle pouvait aller aussi loin que lui-même mais qu'elle l'ignorait encore. C'était à cet instant-là qu'il avait lâché les vannes de son désir, oubliant à dessein toute retenue. L'intimidation, son complice et les menaces avaient disparu de son esprit, et il n'avait plus pensé à rien d'autre qu'à lui donner tout ce qu'elle ne savait pas vouloir.

Il n'y avait rien de plus beau à ses yeux qu'une soumise en train d'éclore à la lumière sombre de ses désirs les plus secrets.

Il était passé maître dans l'art de façonner les femmes en jouant avec leurs craintes et leurs pulsions, et c'était bien pour cela que, depuis des années, aucune femme n'avait pu le pousser en dehors des limites qu'il s'était lui-même imposées. Aucune femme... depuis Julia. Et l'expérience, bien que très troublante, se révélait aussi, d'une certaine manière, libératrice. Car pour la première fois depuis toutes ces années, le sexe lui avait offert quelque chose d'inattendu.

Ce qui était, après tout, une bonne nouvelle. Ces temps-ci, il s'était désolé de trouver la vie avare de surprises avec lui. Amy arrivait comme un pied de nez du destin à son désabusement, et il ne comptait pas bouder son plaisir.

En revanche, il ne fallait plus qu'il oublie qu'elle était là pour satisfaire ses moindres désirs. Elle ne devait être rien d'autre que de la cire malléable entre ses mains habiles. Rien d'autre. Il ne la laisserait pas deviner à quel point elle pouvait le troubler, et encore moins, permettre qu'elle l'excite au-delà d'une certaine limite. Tout simplement, il allait, comme toujours, garder le contrôle.

Chapitre 5

Après sa douche, Amy se blottit dans le lit de Roan, vaincue par la fatigue. Lorsqu'elle s'éveilla, le soleil ne brillait plus derrière les stores. Elle avait dû dormir plus de trois heures, déduisit-elle de la pénombre douillette de la pièce. Elle sentit alors qu'elle n'était pas seule et se tourna avec précaution.

A côté d'elle, Roan dormait paisiblement. Dans l'abandon du sommeil, son visage semblait différent. La dureté qui d'habitude tendait ses traits avait disparu, et Amy s'étonna de le trouver plus jeune et moins intimidant. Vulnérable, presque. Mue par une envie irrépressible, elle caressa doucement sa joue, frôlant au passage la ligne gourmande de ses lèvres. Enhardie par le manque de réaction de Roan, elle dessina du bout des doigts son nez et ses sourcils, son front et ses tempes. Quel âge pouvait-il avoir ? se demanda-t-elle en observant les fines rides qui sillonnaient du coin de ses yeux.

Soudain, des dizaines de questions fusèrent dans son esprit, des plus banales aux plus intimes, et elle s'aperçut avec étonnement qu'elle avait partagé avec un quasi-inconnu des moments d'une intimité et d'une intensité rares.

Roan ouvrit alors les yeux, la prenant au dépourvu. Troublée, elle voulut retirer sa main, mais il l'en empêcha et déposa un baiser tendre sur sa paume. Ce geste aussi doux qu'inattendu lui sembla plus érotique que tout ce qui s'était passé entre eux dans le cachot. Son cœur battit la chamade et elle sentit son sexe se liquéfier. La réaction fulgurante de son corps à ce simple geste de Roan la laissa déconcertée.

— Tu as bien dormi ? demanda Roan, avec un sourire ensommeillé.

Elle haussa les épaules, intimidée. Elle ne savait plus ce qu'elle ressentait après cet après-midi de douleur et de plaisir, elle n'avait pas eu le temps d'analyser les événements, et encore moins, de réconcilier ses réactions avec l'image d'elle-même qu'elle avait jusqu'à présent. Et Roan ? Qu'avait-il déduit de son comportement ? Quelle idée avait-il conçue d'elle ? Après tout, il l'avait prise en flagrant délit de triche et ensuite, elle avait consenti à coucher avec lui pour essuyer sa dette.

Des drôles de prémices pour juger une femme…

— A quoi penses-tu avec ce visage soucieux ? s'enquit-il.

— Au peu que je sais de toi, et vice versa. C'est bien étrange de savoir ce que nous savons l'un de l'autre alors que nous sommes de parfaits inconnus en même temps.

Roan lança un bref éclat de rire.

— Tu as raison. Je ne connais même pas ton nom.

— Je n'ai pas menti, je m'appelle Amy.

— Ton nom de famille, je voulais dire.

— Oh, dit-elle en reprenant sa main, qu'il ne chercha pas à retenir cette fois. Gerard. Amethyst Gerard.

— Rien que ça ! Qu'avaient en tête tes parents ?

— Ma mère n'avait que quinze ans quand elle m'a eue. Je crois qu'elle a dû penser que c'était un nom très cool. Je l'ai à peine connue, elle s'est fatiguée de pouponner lorsque j'avais trois ans, et m'a laissée chez sa sœur.

— Et ton père ?

— Jamais eu le plaisir de le rencontrer, dit-elle en haussant de nouveau les épaules. Et tes parents ?

Roan sourit, mais sur son visage planait l'ombre d'un sentiment ambigu.

— Mon père est le légendaire Robert Cavello, l'un des fondateurs de Las Vegas. A une époque, il possédait six casinos, mais c'était avant la banqueroute historique de la ville. Lorsqu'il a pris sa retraite, il y a deux ans, il n'en possédait plus que deux. Le Nabab, qu'il ma légué, et Le Roi de Pique, qui appartient désormais à mon demi-frère Rhys. Quant à ma mère… C'était une show-girl de vingt-deux ans. Elle voulait épouser mon père, et n'a trouvé de meilleur stratagème que de tomber enceinte. De moi. Je n'ai pas de souvenirs de mon enfance, mais Rhys m'a raconté que la relation entre mes parents était plutôt houleuse. Ils se sont séparés quand j'avais deux ans. Lorsque j'en avais cinq, ma mère a quitté Las Vegas pour tenter sa chance à Hollywood.

Amy hocha la tête, étonnée d'apprendre ces points communs dans leurs passés.

— Et es-tu encore en contact avec elle ?

— Non. Elle est morte dans un accident de la route peu de temps après.

— Je suis désolée, dit-elle en caressant sa main dans un geste plein d'empathie.

— Oh, il n'y a pas de quoi. Je n'ai aucun souvenir d'elle. Et toi, tu as de bonnes relations avec la tienne ?

— Aucune. Nous n'avons plus jamais eu de ses nouvelles. Mon oncle et ma tante m'ont élevée comme si j'étais leur fille, et je considère mon cousin Kevin comme un frère…

Elle s'interrompit soudain, sentant qu'elle avançait sur un terrain dangereux.

— Mais tout cela est bien ennuyeux, reprit-elle d'un ton guilleret. Parlons d'autre chose.

Un éclat indéfinissable éclairait les yeux de Roan au moment où il roula sur elle pour la chevaucher. Il s'empara de ses poignets qu'il tint fermement au-dessus de sa tête, son sexe durci fermement pressé contre son ventre. Toujours prêt, apparemment, pensa Amy.

— De quoi, par exemple ?

— De ceci, dit-elle en allongeant le cou pour l'embrasser.

Les yeux fermés, elle s'abandonna à un baiser long et langoureux. Sa stratégie de distraction avait bien marché, pensa-t-elle, soulagée, en s'abandonnant aux sensations grisantes que les lèvres de Roan éveillaient sur sa peau. Elle tressaillit lorsqu'il mordilla le lobe de son oreille, frissonnant sous son souffle tiède et elle tenta de changer de position pour que son sexe bandé vienne se nicher entre ses cuisses. Mais, comme s'il voulait lui rappeler que c'était à lui de prendre ce genre d'initiatives, Roan serra davantage ses poignets contre le matelas. Alors que ses mains fourmillaient d'envie de le toucher.

— Roan…

Mais elle perdit la force de protester lorsqu'il pressa son genou contre son sexe moite et brûlant. Cet homme semblait avoir sur les lèvres un détecteur de points érogènes, songea-t-elle, enivrée par les frissons qui partaient de chaque point de son cou où il posait la bouche. Et dans les mains, car il avait libéré les siennes pour pouvoir caresser ses seins qu'il pétrissait avec une rudesse qui contrastait de façon affolante avec les baisers humides qu'il ne cessait de lui prodiguer.

Amy glissa la main entre leurs deux corps pour s'emparer du sexe de Roan. Elle voulait le toucher, sentir la texture de sa peau, la force animale qui s'en dégageait.

— Oui, touche-moi, murmura-t-il contre sa bouche.

Elle le prit entre ses doigts, parcourant les yeux fermés le bord du gland, pour presser avec délicatesse le V inversé qu'elle savait être l'un des points les plus sensibles de l'anatomie masculine. Avec un sourire de satisfaction, elle entendit le râle de plaisir que Roan poussa en réponse à sa caresse. Enhardie par son petit succès, elle commença à le masser lentement, de haut en bas, attentive au rythme croissant que les mouvements de Roan imprimaient à ses gestes. Elle allongea le bras pour caresser ses testicules. Ce fut alors qu'elle comprit pourquoi depuis la veille quelque chose la perturbait. C'était la peau de son pubis, si lisse, si douce. Roan s'épilait ? L'étonnement arrêta ses mouvements, et il s'écarta d'elle pour la regarder, une lueur amusée dans les yeux.

— Surprise ?

— Euh… Je ne savais pas que les hommes… Bien sûr, j'ai dû en entendre parler, mais je n'avais jamais rencontré d'homme qui…

— Combien d'hommes as-tu connus ? demanda-t-il, rembruni.

Ah, non, pas cela. Elle n'était pas obligée de lui livrer ce genre d'information.

— Assez pour savoir ce que je suis en train de faire. C'est ce qui compte, n'est-ce pas ?

— D'accord, dit-il.

Il changea de position pour se tenir en appui sur le matelas à bout de bras. Leurs deux poitrines se frôlaient, mais elle dut le lâcher de peur de lui faire mal.

— Je croyais que tu avais envie que je te…

— Non, je veux venir en toi. Mais ne t'inquiète pas, j'aurai l'occasion de jouir dans tes mains… ou dans ta bouche, conclut-il, avec un sourire averti.

Elle humecta sa bouche, surprise du sursaut d'excitation que sa suggestion avait provoqué en elle, mais elle n'eut pas le loisir de s'attarder sur cette image. Le sexe de Roan entra en elle d'une seule poussée, infligeant à sa chair malmenée une tension douloureuse qui ne tarda pas à disparaître lorsqu'il répéta le mouvement doucement, une fois, et une autre. Elle souleva ses hanches pour l'enlacer de ses jambes, mais il secoua la tête.

— Non, reste comme ça, dit-il. Ça peut être très agréable pour toi…

Elle obéit et resserra ses cuisses.

Mmm… Roan avait raison. Le contact de leurs peaux glabres était un délice, et dans cette position, la base de son sexe dur frottait contre son clitoris chaque fois qu'il entrait en elle. Le poids de son corps massif la plaquait contre le matelas, comme une preuve de la force de son désir. Très vite, la spirale de l'orgasme commença à tourbillonner dans son ventre. Roan enfouit son visage contre son cou, et elle pencha la tête sur le côté. Allait-il mordiller sa chair, se demanda-t-elle avec un frisson d'anticipation ?

— C'était Kevin ? murmura-t-il alors au creux de son oreille.

— Par… pardon ?

Les pensées troublées par la passion, elle n'arrivait pas à mobiliser ses neurones pour donner une réponse satisfaisante à sa question.

— Ton complice, c'était ton cousin, non ? insista-t-il.

Son sexe se contracta une dernière fois autour du membre de Roan, et ballottée dans les remous de la jouissance, elle perdit toute capacité à penser rationnellement.

— Je… oh, mon Dieu ! Oui, c'était lui, avoua-t-elle, tandis que son cerveau embrumé lui criait qu'elle venait de commettre un faux pas crucial.

Mais pour l'instant, elle était incapable d'en mesurer les conséquences.

Roan la pénétra une dernière fois avant de se laisser tomber sur le côté, l'entraînant dans ses bras du même élan. Amy se laissa aller et resta immobile, à califourchon sur lui, blottie contre sa poitrine. son pouls battant contre ses oreilles dans un martèlement assourdissant. Comment était-il possible que l'homme qui venait de lui faire l'amour avec la délicatesse d'un orfèvre soit le même qui l'avait rudoyée quelques heures plus tôt dans le cachot ? C'était sidérant. A moins qu'elle ne soit devenue l'amante du Dr Jekyll, et donc, aussi, celle de Mr. Hyde.

En tout cas, son corps réagissait avec la même intensité à chacun, pensa-t-elle. Sauf que…

Sauf qu'elle lui avait avoué le nom de son cousin ! comprit-elle soudain. Indignée, elle releva la tête pour lui lancer un regard noir, des reproches au bord des lèvres.

— Pourquoi ? demanda-t-il, anticipant sa réaction.

— Pardon ? répondit-elle, prise au dépourvu.

Roan enfonça la main dans ses cheveux et la tira doucement vers le haut pour l'amener à son niveau. Elle ne résista pas et suivit le mouvement, tout en se demandant s'il avait encore envie d'engager un de ses jeux. Mais, à sa grande surprise, il se contenta de déposer un doux baiser sur son menton.

— Je veux savoir pourquoi tu as décidé de me voler.

— Je…

Amy s'interrompit, troublée. Lorsque Roan l'embrassait dans le cou, tout près de son oreille, elle perdait tous ses moyens. Elle venait de jouir, et pourtant, tout son corps répondait avec ferveur à son toucher. C'était fou. Avec cet homme, sa capacité au plaisir se révélait un puits sans fond. Elle fit un effort pour se concentrer sur la discussion.

— Mon oncle et ma tante risquent de perdre leur ferme. Il fallait que je trouve de l'argent. Très vite.

— Mais pourquoi moi ? dit-il en s'écartant légèrement pour la regarder dans les yeux. Pourquoi mon casino ?

Le mélange de colère et de désir qu'elle lisait dans ses yeux l'excita davantage, même si elle aurait préféré lui opposer un minimum de résistance, autant par fierté que par défi. Elle s'en voulait d'avoir cédé à la tendresse alors qu'elle avait si courageusement résisté à ses manœuvres d'intimidation.

— C'était le plus proche de chez moi.

Roan la regarda, les yeux écarquillés, avant d'éclater de rire.

— Suis-je donc une victime de la géographie ? dit-il en se redressant dans le lit. Allez, viens.

Elle s'assit sur le lit, frustrée dans son envie de lui et en même temps contrariée de ressentir ce désir incessant.

— Où ça ? demanda-t-elle.

— Prendre une douche, dit-il, debout à côté du lit.

— Juste une douche ? ne put-elle s'empêcher de demander d'une voix languide tout en prenant la main qu'il lui tendait.

— Oui, juste une douche. Car nous allons sortir. J'ai envie de t'acheter quelque chose de joli.

Ce « quelque chose de joli » n'était absolument pas ce à quoi Amy s'attendait. Il s'agissait d'un tatouage, un papillon pourpre et doré de la taille d'une pièce de monnaie, qui ornait désormais le triangle entre ses jambes. Qu'était-il en train de lui arriver ? se demanda-t-elle une heure et demie plus tard, tandis qu'elle traversait le hall de l'hôtel à côté de Roan. La transformation était effarante. Alors que la veille, elle ignorait tout de ses désirs les plus secrets, à présent, elle commençait à se penser comme une initiée aux délices de la soumission. Tatouée, de surcroît ! Tante Mel s'évanouirait si jamais elle apprenait ce qu'elle avait fait. Et ce qu'elle comptait continuer à faire, jusqu'à ce que Roan se lasse d'elle.

La perspective provoqua en elle un pincement au cœur inattendu. Bon sang ! Elle devrait plutôt compter les heures, et croiser les doigts pour que Roan s'ennuie au plus vite de jouer avec elle. Et pourtant, son cœur s'accélérait immanquablement dès qu'il la frôlait. A quoi bon se voiler la face ? En dépit des circonstances qui l'avaient amenée à cette situation, elle était en train de prendre du bon temps avec lui. Même dans ses fantasmes les plus débridés, jamais elle ne s'était imaginée avec un amant aussi doué que Roan. Après tout, ne fallait-il pas prendre la vie comme elle venait, et profiter de l'expérience tant que cela durait ?

D'autant que l'attitude de Roan avait changé depuis qu'il avait obtenu le renseignement qui l'intéressait. Il semblait plus calme, plus serein, et elle aurait voulu croire qu'il avait baissé la garde, tout en sachant que c'était un vain espoir. Seul le sexe les liait, se répéta-t-elle, et ce serait insensé de se projeter au-delà.

— Tu es bien silencieuse, dit-il, lorsqu'ils se retrouvèrent seuls dans l'ascenseur.

Elle répondit d'un petit grognement qui ne l'engageait en rien.

— Ça fait mal ?

— Un petit peu, dit-elle avec un haussement d'épaules.

— Tu boudes à cause du tatouage ?

— Non, j'étais perdue dans mes pensées…

— Et tu pensais à quoi ?

Elle se tut un instant.

— A la déception de ma famille s'ils apprenaient ce que je suis en train de faire.

— Tu te sens honteuse ? s'enquit-il en soulevant son menton pour l'obliger à le regarder dans les yeux.

— Oui, murmura-t-elle en essayant de détourner le regard.

— Pourquoi ?

— Je… j'ai l'impression d'être une… traînée. Je… je ne suis pas celle que je croyais être.

— Cela nous arrive à tous, un jour ou l'autre, dit-il avant de se pencher sur elle pour l'embrasser brièvement sur les lèvres. Mais tu aurais préféré ne vivre qu'à moitié, vieillir en passant à côté de ce qui t'excite vraiment ?

Elle se blottit contre lui pour lui dérober son visage.

— Oui, dit-elle si bas qu'elle douta qu'il l'ait entendue.

— Menteuse…

Il fit glisser ses mains le long de ses cuisses et les remonta en retroussant sa robe.

— C'est tellement meilleur de découvrir qui on est maintenant, à ton âge, murmura-t-il. Moi, j'ai mis longtemps avant de découvrir mes… penchants.

— C'est vrai ? fit-elle en renversant la tête pour le regarder.

— Oui. J'avais plus de trente ans lorsque j'ai rencontré la femme qui a su m'affranchir, dit-il, les yeux soudain ombrés de tristesse. Malheureusement, elle tenait moins à moi qu'à sa liberté, notre histoire n'a duré qu'un temps.

— Tu l'aimes encore ?

Les mots lui avaient échappé avant qu'elle ne puisse les retenir.

Pourquoi cette idée lui oppressait-elle soudain la poitrine et lui donnait envie de pleurer ?

Roan secoua la tête, retrouvant son expression habituelle.

— Non, j'ai cessé de l'aimer, il y a longtemps. Cependant, je lui serai toujours reconnaissant de m'avoir dévoilé ma véritable nature. Et par ailleurs, continua-t-il d'un ton désinvolte, cela n'aurait pas marché entre nous. Nous nous ressemblions trop pour être compatibles, car elle était une dominatrice, et une fois que j'ai compris que j'étais aussi un maître, il n'y avait pas de retour en arrière possible.

La franchise de ses propos poussa Amy à lui confier ce qu'elle n'avait pas osé encore s'avouer à elle-même.

— Je n'ai pas cette envie en moi. Je ne m'imagine pas dans le rôle de la dominatrice.

— Je sais, tu es une véritable soumise, murmura-t-il en la serrant contre lui longuement. Il n'y a pas de honte à avoir. Je trouve cela très beau, en fait. Tu es ce que tu es, je suis ce que je suis. Il faut l'accepter, tout simplement.

— L'accepter, oui…

Avec délicatesse, Roan la fit pivoter et elle se retrouva face à son reflet dans le miroir de l'ascenseur. Elle fixa longuement les mains habiles qui caressaient ses seins, avant de chercher le regard de Roan dans la glace. Sans la quitter des yeux, il pressa le bouton d'arrêt d'urgence. La cabine resta suspendue à mi-chemin, et son cœur manqua un battement.

Lorsqu'ils atteignirent la suite privée de Roan, vingt minutes plus tard, d'autres sensations lui avaient fait oublier la douleur laissée par le tatouage.

Chapitre 6

La passion abolit le temps, songea Amy lorsqu'elle s'aperçut que près d'une semaine s'était écoulée depuis son arrivée au casino. Lorsque Roan ne travaillait pas, il venait la rejoindre, et ils exploraient ensemble les possibilités infinies que son corps semblait déceler. Tout comme son esprit, d'ailleurs. Roan lui avait expliqué que s'abandonner complètement était libérateur d'une certaine manière. Et il avait raison. Malgré l'étrange point de départ de leur relation, elle avait à présent une confiance totale en lui, il se montrait toujours attentif à ses envies et à ses limites, sans jamais chercher à la pousser au-delà. Elle qui ne s'était jamais vue comme une femme soumise, cette nouvelle facette de sa personnalité ne manquait pas de l'intriguer, mais dès que Roan la touchait, tous ses doutes et ses interrogations s'évanouissaient.

Tous… sauf un. Malgré ses efforts pour protéger son cœur, elle se sentait de plus en plus attachée à Roan. La veille, ils avaient assisté à un match de boxe et ensuite, il l'avait prise sauvagement dans les vestiaires en attendant de rencontrer les boxeurs. Pas un instant, elle ne s'était inquiétée d'être surprise, et au contraire, elle avait même eu un pincement au cœur en pensant qu'une fois que Roan lui aurait rendu sa liberté, personne ne saurait lui offrir des expériences aussi grisantes.

Elle sentait qu'aucun homme ne pourrait l'égaler et elle se

demandait, affolée, comment elle allait faire lorsqu'il sortirait de sa vie. Etait-elle donc vouée à un avenir de solitude ? Roan n'avait pas pu se libérer ce soir, et elle se sentait déjà dans un état de manque atroce. Une seule nuit sans lui, une seule, et elle broyait déjà du noir. Qu'adviendrait-il d'elle lorsque les six semaines toucheraient à leur fin ? Amy ne voulait plus y penser et pourtant, elle ressassait la question en boucle.

Roan jeta un autre jeton de cinquante dollars sur le tas déjà considérable qui se trouvait au milieu du tapis de jeu, bien qu'il fût incapable de se rappeler s'il avait ou pas une bonne main. L'image d'Amy gémissant sous ses caresses le hantait, et il n'avait qu'une envie en tête, rentrer au plus vite pour la prendre contre le mur. En lui-même, il pestait contre cette partie de haut vol, prévue de longue date, et qu'il n'avait pas pu annuler car les participants étaient des habitués triés sur le volet qui jouaient plus d'un million de dollars à chacune de leurs visites au Nabab. S'il avait eu le choix, il aurait passé la nuit à prendre Amy jusqu'à plus soif.

— Et qui était la pétasse qui t'accompagnait hier au match ? demanda Steve Delminico à brûle-pourpoint, comme s'il avait lu dans ses pensées.

Roan réprima l'élan de colère que le terme avait soulevé d'instinct chez lui. Après tout, Steve était un rustre notoire et ne pensait pas à mal en parlant de la sorte. Autant rester poli.

— C'est une amie, dit-il d'un ton neutre.

— J'ai entendu dire qu'elle vivait avec toi, commenta Kahlil Ahmed, le patron d'une compagnie pétrolière aux bénéfices mirobolants, qui s'amusait à brouiller les pistes en s'habillant comme un DJ sans le sou.

Roan haussa les épaules sans répondre. Mieux valait laisser courir. Après tout, les blagues potaches étaient un rituel dans ces soirées, et, à l'exception de Delminico, il appréciait sincèrement la compagnie des autres joueurs.

— Concentrons-nous sur le jeu, dit-il.

— Eh bien moi, insista Steve, je n'aurais rien contre une « amie » de ce genre, je suis même prêt à payer pour ! D'ailleurs, et si on la mettait sur le tapis ? Ma main contre la tienne, le gagnant emporte le tout.

Roan dut faire appel à tout son sang-froid pour ne pas bondir sur la table et lui ficher son poing dans la figure, mais ce fut davantage la violence de sa propre réaction qui l'aida à rester impassible sur sa chaise. D'habitude, rien n'ébranlait son calme olympien... Que diable lui arrivait-il ?

— Je n'en vois pas l'intérêt, dit-il d'un ton las.

— A d'autres, ricana Steve. Je vais te faire une offre irrésistible. Tu te souviens de ce jet privé que tu attends depuis un moment ? Eh bien, je vais te l'apporter sur un plateau, personnalisé selon tes instructions et livré dans la semaine sur le tarmac de ton aérogare.

— Es-tu en train de miser un avion contre une femme ? demanda Roan d'une voix froide.

— Pour le jeu, bien sûr. Je ne dis pas que ça le vaut, grommela Steve et, devant le silence embarrassé de l'assemblée, il se ravisa. Mais non, mais non, je te fais marcher, Roan.

— Evidemment, Steve.

L'affaire semblait réglée, et c'était tant mieux, pensa Roan. Après tout, on était à Las Vegas, où chaque chose avait son prix pourvu qu'on sache le fixer. Et, d'après ce qu'il savait d'Amy, il ne pouvait pas mettre sa main au feu qu'elle aurait refusé l'offre alléchante de Steve, dont le look d'acteur hollywoodien cachait bien la grossièreté... Après tout, n'avait-elle pas accepté de coucher avec lui contre de l'argent ? Alors, pourquoi refuserait-elle la même chose de la part de ce crétin ?

Il secoua la tête, ne voulant pas s'attarder sur l'image d'Amy dans les bras de l'autre imbécile. Austin abattit alors son jeu, un poker de dames, Roan vérifia ses cartes, dont il avait oublié la valeur : un pauvre couple de huit. Décidément, la chance ne l'accompagnait pas ce soir, ou pas au jeu. Mais peut-être que le vent tournerait lorsqu'il remonterait dans sa suite.

Le lendemain, Roan passa son après-midi à tenter de se concentrer sur les livres de comptes du Nabab. Peine perdue, un épais brouillard semblait s'interposer entre ses pensées et les colonnes de chiffres. Et ce n'était pas à cause des deux magnums de champagne qu'il avait partagés avec Amy au cours de la nuit, car le liquide avait en réalité moins coulé dans leurs veines que sur leur peau. C'était Amy, et rien qu'elle, la responsable de son manque de concentration, s'avoua-t-il enfin.

Avec un soupir découragé, il lâcha son stylo et tourna sur sa chaise face au mur de verre qui lui permettait de surveiller tout ce qu'il se passait dans la salle principale du casino. L'activité était fébrile bien qu'il ne fût que 3 heures de l'après-midi, mais Roan ne prêta guère attention à la scène fourmillante qui se déployait à ses pieds, regardant sans les voir les joueurs défier les machines. L'image d'Amy effaçait toutes les autres. Amy et ses cris éperdus, Amy et son corps trémulant. Jamais auparavant il n'avait rencontré une femme capable de tirer autant de plaisir des jeux où se mêlaient la cire chaude et le champagne.

— Mais qu'est-ce qui m'arrive ? grommela-t-il en retournant son fauteuil pour reprendre ses comptes.

Pourquoi n'arrivait-il pas à l'écarter de ses pensées ? Pourquoi son odeur semblait-elle encore imprégner sa peau, pourquoi entendait-il sans relâche ses soupirs troublés ? Qu'avait-elle de spécial pour que ses doigts se rappellent à chaque instant la courbe de ses hanches, la cambrure de son pied, chaque parcelle de sa peau qu'il avait frôlée ? Sa présence semblait l'accompagner même lorsqu'ils étaient séparés.

Et Roan n'aimait pas cela. La douleur qu'il avait ressentie

lorsque Julia l'avait quitté lui avait appris à ne pas succomber aux charmes des femmes qu'il avait croisées depuis. Il avait fait de cette attitude une règle de vie, et, jusqu'à présent, il n'y avait pas dérogé. Mais Amy ne ressemblait en rien à ces autres femmes qui se disaient expérimentées. Elle venait seulement de prendre conscience de ses penchants, et pourtant, elle n'avait rien d'une soumise fraîchement affranchie. Pas une seule fois, elle n'avait semblé apeurée, pas une seule fois, elle n'avait rechigné à assouvir ses désirs. Au contraire, elle s'abandonnait avec joie et délices à toutes ses suggestions, en tout lieu et en toute occasion.

Non, ça n'allait pas, se répéta Roan. Il était en train de s'attacher à cette femme, il pensait à elle en termes de possession exclusive. Alors qu'il savait d'amère expérience qu'amour ne rimait pas avec toujours. Par chance, ils avaient un accord très précis qui délimitait parfaitement la teneur de leurs relations. Ce serait dommage de le gâcher avec des dérives romantiques. D'autant plus qu'un jour pas très lointain, il se lasserait d'elle et de son enthousiasme de nouvelle convertie. Car c'était toujours le cas, non ?

Le bourdonnement de l'Interphone le tira de ses pensées et il pressa le bouton pour répondre à son assistant.

— Je t'écoute, Brad.

— Le fax que vous attendiez vient d'arriver, monsieur.

— Apporte-le.

Il remercia d'un geste le jeune homme qui posa un dossier sur la table pour repartir aussitôt. D'un œil rapide, Roan examina le document, et sentit la colère monter en lui au fur et à mesure qu'il prenait connaissance des informations qu'on venait de lui fournir.

Cette petite menteuse.

Le pouls battant à tout rompre contre ses tempes, il saisit le dossier et quitta son bureau.

— Annule mon rendez-vous, ordonna-t-il à Brad en passant devant lui.

Il imagina la surprise de son assistant, car personne n'osait poser un lapin aux représentants de la Commission des jeux. Lui-même, d'ailleurs, trouvait sa propre réaction sidérante et même irresponsable. La colère n'avait jamais été bonne conseillère, il le savait, mais en ce moment, il n'en avait que faire.

L'ascenseur monta au rythme habituel vers sa suite, mais Roan trouva le trajet d'une lenteur exaspérante, et la relecture du fax ajouta à sa fureur. Tant mieux. Il ne voulait pas que la moindre once de réflexion ait apaisé sa rage lorsqu'il se trouverait face à Amy.

Comment avait-il pu se montrer si naïf ? Il avait gobé sans hésiter ce bobard à propos de la banqueroute de sa famille, une excuse vieille comme le monde, bon sang ! Il avait ressenti de la peine pour elle, et même, conçu de l'admiration pour sa loyauté. Il avait baissé la garde pour ses beaux yeux innocents, et il était tombé dans son panneau comme un pauvre pigeon. Et cette voleuse en avait tiré parti tout du long !

Il sortit de l'ascenseur et franchit la distance qui le séparait de sa suite à grandes enjambées rageuses, sans se soucier de ce que le vigile toujours en poste pourrait en conclure. Il ouvrit la porte d'un coup violent et la ferma de la même manière, ravi de voir Amy sursauter. Cette garce, elle jouait bien les innocentes, lovée sur le canapé, un livre posé sur les genoux. Une sacrée professionnelle, voilà ce qu'elle était ! Sinon, comment auraitelle pu le berner, alors que son métier lui avait enseigné depuis belle lurette à démasquer les faussaires ?

— Roan ? Quelque chose ne va pas ? demanda-t-elle d'un ton surpris.

— C'est une façon de le dire, répondit-il en avançant vers elle, le dossier serré dans son poing.

— Il y a un changement de plans ? J'avais cru comprendre que tu ne reviendrais pas avant 7 heures.

— Un changement, en effet, dit-il en lui mettant le dossier sous le nez. *Ça*, ça change tout !

Et tu n'imagines pas à quel point. Pour l'instant…

— Qu'est-ce que c'est ?

— Ouvre-le.

Amy lui lança un regard inquiet avant d'ouvrir la chemise en carton. Roan l'observa parcourir le document, à l'affût du moindre changement dans son expression.

— Mais qu'est-ce que c'est ? répéta-t-elle.

— Des renseignements sur la situation de ton oncle. Je voulais m'assurer que le bénéfice de ton escroquerie suffisait à éponger leurs dettes, dit-il en empoignant avec rage les cheveux d'Amy pour l'obliger à le regarder dans les yeux. Apparemment, tu as eu plus que le compte, n'est-ce pas ?

Et tu as failli avoir mon cœur, pensa-t-il, avant de noyer ce sentiment dans une mare de ressentiment.

— Je ne comprends pas, balbutia Amy.

— Ce document prouve que la ferme de ton oncle est une exploitation assez rentable. Florissante, même. Depuis dix-huit ans, il n'y a pas eu l'ombre du moindre souci. Ta famille est loin de la faillite !

Il serra davantage la main qui emprisonnait la chevelure brune, satisfait devant la grimace atterrée d'Amy.

— Alors, vas-tu me dire pourquoi tu es venue me voler ?

— Kevin m'a dit que ses parents frôlaient la ruine, je le jure, dit-elle, les yeux pleins de larmes. S'il te plaît, Roan, je ne t'aurais pas menti.

— Bien sûr que non, ricana-t-il. Tu voles, tu escroques, mais tu ne mens jamais.

— Pas à toi, répéta-t-elle.

— Ah, quelle sacrée comédienne tu fais ! Je pourrais presque croire à tes pleurs, même maintenant que je sais à quel point tu trompes ton monde. Lève-toi, dit-il en tirant ses cheveux vers le haut d'un coup sec.

Il commença à traverser le salon sans lâcher un instant sa prise et sans permettre que les larmes silencieuses qui coulaient sur les joues d'Amy l'émeuvent. Il n'allait pas laisser les émotions prendre le dessus sur sa colère, se dit-il, tout en sachant que la violence de sa réaction trahissait à quel point le mensonge avait blessé ses sentiments.

Amy tremblait comme une feuille lorsqu'il s'arrêta devant la porte du cachot.

— S'il te plaît, Roan, ne fais pas ça, pria-t-elle. Je ne t'ai pas menti.

Il ouvrit la porte et la poussa dans la pièce, malgré la résistance d'Amy à avancer.

— Roan, c'est mon cousin qui m'a menti, à moi ! S'il te plaît, crois-moi.

— Bien sûr, dit-il en regardant ailleurs pour ne pas affronter ces yeux agrandis par la peur. Déshabille-toi.

— Mais…

Impatienté par son entêtement à le prendre pour un pigeon, il tira sur la robe avec tant de force qu'il la déchira. Amy se tint nue devant lui. Malgré sa fureur, il ne put s'empêcher d'être satisfait en constatant qu'elle avait suivi ses consignes en s'abstenant de porter des sous-vêtements à tout moment, même en son absence.

— Mets-toi à genoux.

— Pour te sucer ? *Maintenant ?*

Il ricana devant son expression de surprise, sans que le rire cependant tempère son courroux.

— C'est la dernière des choses que je risque de vouloir, répondit-il en appuyant d'une main lourde sur l'épaule gracile pour l'obliger à s'agenouiller. Reste là.

Il décrocha un jeu de fers et de chaînes de son établi et retourna près d'elle pour l'attacher.

— Tu ne peux pas faire ça, protesta-t-elle d'une voix faible. Pas quand tu es en colère…

Mais malgré ses paroles, le corps d'Amy semblait avoir abandonné toute idée de résistance.

— Regarde-moi, lui intima-t-il, étonné de son manque de résistance. Tu ne vas pas te battre ?

— A quoi bon ? Tu n'auras de cesse tant que tu n'auras pas le dessus.

Comment osait-elle anticiper ses réactions ? songea-t-il, furieux de se sentir percé à jour alors qu'il s'était trompé sur son compte. Il serra les fers plus que nécessaire, et recula pour observer le résultat. Il hocha la tête, satisfait. Attachée dans la plus classique des positions de soumission, mains liées par une chaîne qui passait sous ses chevilles, Amy se trouvait complètement à sa merci, et il pouvait sentir ses muscles tendus, non pas d'impatience comme tant d'autres fois, mais de crainte. Elle l'avait bien cherché, se dit-il, refusant d'écouter la voix intérieure qui réprouvait sa conduite.

— Vas-tu encore nier que tu m'as menti ?

Amy ne répondit pas et garda la tête fléchie. Dans l'esprit de Roan, la confusion le disputait à la colère, et ce fut cette dernière qui eut gain de cause. Enragé, il décrocha le martinet du mur. C'était son jouet fétiche, une belle pièce au manche en acajou, pourvue de nombreuses lanières en cuir. Un objet qui lui avait procuré des moments de jouissance ineffable, le bois s'était patiné à l'usage et s'adaptait à sa main comme s'il était la prolongation de son bras. Et pourtant, il avait la sensation que cet outil de plaisir répugnait à servir d'instrument de torture. Il secoua la tête pour se débarrasser de ces pensées qui ne reflétaient que ses propres scrupules.

Décontenancé et irrité d'avoir tant d'égards pour cette femme qui l'avait volé et abusé, il abattit le fouet sur le dos d'Amy d'un mouvement sec. Elle tressaillit, sans laisser échapper la moindre plainte et Roan laissa s'écouler quelques secondes, en espérant que la peur et la douleur viendraient à bout du mutisme opiniâtre d'Amy. En vain, comprit-il, honteux en découvrant les six lignes cramoisies, traces des six cordelettes du martinet, qui se dessinaient sur la peau crémeuse.

Avec un grognement contrarié, il abandonna le fouet sur la table. Il n'avait pas le droit d'infliger un châtiment corporel à Amy, car il y avait un monde, et il l'avait su dès le départ, entre fouetter une femme lors d'un jeu érotique, et la punir pour assouvir sa soif de vengeance. D'autant plus qu'Amy, en tant que soumise novice, risquait de développer une aversion permanente pour ces pratiques. Et quoi qu'elle ait pu lui faire, rien ne justifiait qu'il saccage sa sexualité naissante.

Pourtant, il fallait qu'il trouve un exutoire à sa rage. Mais, lequel ? se demanda-t-il, sans savoir que faire de la colère qui coulait dans ses veines. Sans ménagement, il détacha Amy et l'aida à se relever en la tirant par le bras. Le silence qui les cernait était froid et coupant comme le bord d'une falaise, et il devina qu'elle s'attendait à de nouveaux sévices. Toujours en silence, il relâcha sa prise et se mit à faire les cent pas dans la pièce. Amy ne tenta pas le moindre mouvement, ce qui éveilla en lui la satisfaction du maître obéi au doigt et à l'œil. Mais il s'empressa d'étouffer ce sentiment : Amy ne devait plus rien signifier pour lui.

Les pensées les plus contradictoires se succédaient dans son esprit, sans qu'il puisse prendre parti pour une seule d'entre elles. Certes, Amy lui avait menti, mais, étant donné qu'au départ déjà elle avait essayé de l'arnaquer, ce mensonge n'avait aucune espèce d'importance, n'est-ce pas ? Mais alors, d'où venait cet accès de fureur qui lui brûlait le ventre ? Pourquoi diable avait-il l'impression d'avoir été trahi ?

Soudain, une idée s'imposa au-dessus des autres, avec une force si violente qu'il cessa de marcher, pris à la gorge par le goût âpre de la nausée.

Mais quel imbécile, bon sang ! Quel crétin !

Il secoua la tête, abasourdi. Comment avait-il pu baisser la garde au point de ne pas s'apercevoir qu'il commençait à éprouver pour cette femme des sentiments qui dépassaient le simple attachement sexuel ? Car s'il n'avait pas relâché son attention, ainsi qu'il l'avait toujours fait, son cœur n'aurait pas accusé avec autant de douleur ce bobard, somme toute bien prévisible.

Avec un sourire froid figé aux lèvres, Roan se retourna pour regarder Amy, laissant planer à dessein l'incertitude sur ce qu'il comptait faire par la suite.

D'ailleurs, lui-même l'ignorait.

Il tira son téléphone portable de sa poche. Il fallait agir, vite, pour qu'Amy ne devine pas une seconde à quel point il avait été chamboulé par leur liaison.

— S'il te plaît, Tim, dit-il, s'adressant au chef de la sécurité. Envoie-moi un homme pour accompagner Mlle Gerard.

— M'accompagner, moi ? Où ?

— Dans *ta* chambre, répondit Roan d'un ton détaché. J'en ai ma claque de toi, mais il faut que je décide comment te punir pour m'avoir menti avant de te congédier pour de bon.

Même s'il se serait fait hacher menu plutôt que l'avouer, la vérité était qu'il voulait s'éloigner d'Amy avant que la passion ne prenne le pas sur la raison. Il aurait pu la gifler, il aurait pu l'étreindre avec tendresse, il… il ne savait pas ce qu'il voulait. Le mieux était d'agir avec le peu qu'il lui restait de sang-froid, décida-t-il.

— Non, c'est hors de question, dit Amy, le regard soudain hardi. Je ne m'en irai pas comme ça.

— Je ne veux plus de toi.

— Menteur ! contrecarra-t-elle avec aplomb.

Il ricana.

— Il n'y a qu'un menteur ici, poupée, et nous le connaissons tous les deux. Ou si tu préfères, je peux appeler la police pour qu'elle m'aide à élucider le fond de l'affaire…

— Si tu ne me fais pas confiance, tu peux les appeler.

— Te faire confiance ? A toi ? demanda-t-il avec un faux

éclat de rire. Drôle d'idée, franchement. Tu l'ignores sans doute, mais la confiance *se mérite*.

Une larme roula avec une lenteur hypnotique sur la courbe parfaite de sa pommette. Roan détourna son regard.

— Jusqu'à aujourd'hui, j'avais confiance en toi, murmura Amy.

— J'imagine alors que nous avons été les dindons de la farce. La vie sait être ironique, n'est-ce pas ?

Amy courba la tête, comme si elle avait abandonné toute velléité de le convaincre de son innocence. Enfin quelque chose qui ressemblait à un aveu, pensa-t-il. Mais alors, pourquoi au lieu de crier victoire, son cœur semblait serré par l'étau d'une tristesse indicible ?

Chapitre 7

Amy se laissa tomber, désorientée, sur l'immense lit de la chambre où Tim l'avait conduite. Roan l'avait renvoyée avec tant de hâte qu'elle avait eu à peine le temps d'enfiler une nuisette pratiquement transparente, et le vigile ne s'était pas privé de se rincer l'œil. Le court trajet en sa compagnie lui avait laissé une sensation de malaise qui s'ajoutait au chagrin que lui causait cette volte-face de Roan.

Quelqu'un frappa discrètement à sa porte. Roan ? espéra-t-elle, son cœur se mettant à battre à coups redoublés. Mais avant qu'elle ait eu le temps de demander qui c'était, elle vit la porte s'ouvrir sur un homme en kimono de soie noire qu'elle ne connaissait pas. Alarmée, elle se couvrit avec le drap. Ayant refermé la porte derrière lui, l'inconnu lui lança un sourire qui se voulait sans doute éblouissant, tout en dents d'une blancheur éclatante. Avec ses cheveux blonds et ses yeux bleus, il était indéniablement un bel homme, songea-t-elle, mais cela ne justifiait en rien sa présence cavalière dans sa chambre.

— Qui êtes-vous ? Et que faites-vous ici? demanda-t-elle, d'une voix affirmée malgré sa surprise.

— Steve Delminico, un ami de Roan, répondit-il, en s'avançant vers le minibar comme si sa réponse expliquait tout. Que veux-tu boire, ma belle ?

Amy secoua la tête, si choquée par son attitude désinvolte qu'elle n'arriva pas à protester.

— J'insiste, dit-elle enfin. Que faites-vous dans ma chambre ?

— Il semblerait que Roan ait finalement décidé d'accepter mon deal, non ? Un avion en échange de sa charmante amie…, dit Delminico, en vidant d'un trait le verre qu'il venait de remplir.

— Mais qu'est-ce que vous racontez ? demanda-t-elle, ahurie.

— Il aurait eu tort de s'en priver, franchement, continua-t-il, comme si elle n'avait pas parlé. Pourquoi sinon t'aurait-il installée dans la chambre face à la mienne, hein ? La porte convenablement ouverte, de surcroît. C'est évident, non ?

Amy déglutit avec difficulté, tentant de donner un sens à ce qu'elle venait d'entendre. D'après ce type, Roan l'aurait vendue en échange d'un avion ? Non, impossible, pensa-t-elle, sentant cependant ses yeux s'emplir de larmes.

— Ce n'est pas vrai, dit-elle à voix haute, avant tout pour tenter de s'en convaincre.

— Oh, ma belle, tu sais bien comment les choses se passent à Las Vegas. Je suis un très bon client du Nabab, et Roan est aux petits soins avec moi. J'ai eu ce matin une baraka d'enfer, il ne me manque plus que toi pour être l'homme le plus heureux de la terre, dit-il en posant bruyamment le verre qu'il avait encore vidé.

C'était bel et bien vrai, comprit Amy, sentant son sang se glacer. Roan cherchait à l'humilier en l'offrant à cet homme pour lui montrer à quel point elle comptait peu pour lui. Elle sentit la nausée l'envahir. Alors que, pendant ces jours passés avec Roan, elle s'était attachée de plus en plus à lui, il ne l'avait jamais considérée autrement que comme un jouet sexuel. Ni elle, ni la passion qu'ils avaient partagée ne signifiaient rien pour lui… Non, se corrigea-t-elle, mortifiée, la passion qu'*elle seule* avait cru qu'ils partageaient.

Delminico s'approcha du lit et retira le drap, malgré la

résistance farouche qu'elle tenta de lui opposer. Il promena sur elle un regard lubrique.

— Superbe, observa-t-il. Tu es encore plus jolie que dans mon souvenir, tu sais ?

Son accent texan l'agaça plus que de raison, ainsi que ses mots douceâtres qui cachaient, elle le craignait, les pires intentions. Son cœur peinait à battre, serré comme un poing dans sa poitrine, mais elle sentit qu'il fallait qu'elle boive la coupe jusqu'à la lie. Elle voulait savoir comment Roan en était arrivé là, comment elle était tombée dans ce piège sans même s'en apercevoir.

— Quel souvenir ? Quand est-ce que vous m'avez vue ?

— Au match de boxe. Tu étais jolie comme un cœur au bras de Roan, étincelante comme un bijou dans ta petite robe dorée, mais je crois que je te préfère comme ça, dit-il, en se penchant sur elle pour caresser son dos. Mmm, pas de soutien-gorge, j'aime ça.

Amy sentit sa main glisser vers l'un de ses seins, qu'il pressa avec complaisance.

— Il n'y a pas à dire, Roan Cavello sait fidéliser le client.

Ce contact outrageux la sortit enfin de sa stupeur. D'un bond, Amy quitta le lit et se réfugia à l'autre bout de la chambre, tentant de mettre autant de distance que possible entre elle et ce sale type.

Loin de changer d'attitude, Delminico lança un sifflement amusé.

— Oh, je vois que nous n'allons pas nous ennuyer ensemble. Roan t'a dit que j'aime qu'on me résiste, hein ?

D'un geste hâtif, il se débarrassa de son kimono noir, et s'approcha d'elle, nu comme un ver. Amy sentit son haleine alcoolisée contre son visage, et comprit qu'il était déjà dans un état d'ivresse avancée lorsqu'il était entré dans sa chambre.

Delminico l'entoura de ses bras musclés et colla son visage contre son cou, tentant de la déshabiller de ses mains maladroites.

Amy lutta pour se dégager de son étreinte, et le fin tissu de sa nuisette se déchira dans un crissement dramatique.

— Oh, un si joli emballage, commenta Delminico. C'était une idée de Roan de te faire te balader à moitié à poil dans les couloirs de son hôtel ? Il a dû bander comme un âne en y pensant.

Amy accusa le coup en serrant les mâchoires. Elle n'y avait pas songé une seconde, mais sans doute, Roan avait effectivement voulu ajouter à son humiliation en l'envoyant à peine couverte à l'autre bout du bâtiment. Par chance, elle n'avait croisé que deux joueurs japonais sur le chemin, trop distraits ou trop polis pour ciller en sa présence.

— Salaud ! Bas les pattes ! cria-t-elle, laissant enfin sa colère exploser. Va-t'en, sors d'ici !

— Vas-y, continue, ça m'excite, marmonna Delminico. J'aime les tigresses dans ton genre, on va s'éclater.

Il plaqua sa bouche sur la sienne, et son souffle acide donna un haut-le-cœur à Amy.

— Je vais te défoncer ta jolie chatte, tigresse. Et tu vas aimer.

La panique s'empara d'Amy. Rien n'arrêterait cette brute épaisse qui haletait à son oreille, et n'avait rien à faire qu'elle soit consentante ou pas. Elle se rebiffa contre lui avec toute la force de sa peur, mais malgré l'alcool, Delminico n'eut pas de mal à la traîner vers le lit, où il la poussa sans ménagement. Sa tête rebondit violemment contre le matelas.

Elle n'allait pas pouvoir se débarrasser de ce monstre, comprit-elle, le souffle coupé par l'impact. Ce cauchemar était bel et bien en train de lui arriver *réellement*.

Non.

Croyant sans doute pouvoir la retenir avec le poids de son corps, Delminico relâcha sa prise pour libérer ses mains, qu'il balada fébrilement sur son corps. C'était maintenant ou jamais, pensa Amy en le repoussant sur le côté avec toute l'énergie du désespoir avant de rouler hors du lit pour courir vers la porte.

— Où tu vas, salope ? hurla Delminico.

Il s'élança vers elle, le visage déformé par la rage maintenant qu'il avait compris qu'elle ne jouait pas au chat et à la souris pour l'exciter. Elle tenta d'ouvrir la porte. Oh, Dieu, cet animal avait verrouillé le loquet.

— Tu aimes allumer les mecs, hein, salope ? C'est ça ton truc, hein, ça t'excite ? Mais je ne suis pas un pigeon, moi. Tu vas finir ce que tu as commencé, sale garce.

Il l'attrapa par la taille avant qu'elle ait réussi à ouvrir la porte de ses mains tremblantes. Delminico la retourna contre lui, et Amy constata, effarée, que sa grimace colérique s'était muée en un sourire lascif.

— Ah, mais je vois le genre, ricana-t-il. Très bonne comédienne, ma parole.

— Mais de quoi tu parles ? cria-t-elle, au bord de la crise de nerfs, s'agitant contre lui avec plus de désespoir que de résultats.

— Ces marques sur ton dos. Tu aimes quand ça fait mal, n'est-ce pas, tigresse ? dit-il, avec un rire réjoui. J'ai été trop gentil, c'est ça ?

— Non, ce n'est…

Sans crier gare, il attrapa entre ses doigts le bout d'un de ses seins, qu'il tordit sans aucune délicatesse.

— Ouais, c'est ça, tu n'es qu'une pauvre fille innocente, hein ? ironisa-t-il en emprisonnant ses mains avec une seule des siennes. Et je suis le grand méchant loup qui ne va faire qu'une bouchée de toi… En commençant par ton sexe rasé de près qui ne demande que ça…

Amy s'arc-bouta et tenta de lui porter un coup de genou bien placé. Sans effet. Pire, comprit-elle, sa résistance ne servait qu'à attiser l'excitation de ce sauvage. Hors d'haleine, elle sentit le courage l'abandonner et supporta, immobile et en larmes, la langue poisseuse qui lapait déjà son nombril.

Lorsqu'elle vit soudain Roan s'élancer vers elle, Amy songea d'abord à un effet de son imagination ébranlée par la panique. Ce ne fut qu'en le voyant écarter Delminico d'une poussée violente qu'elle put croire qu'il était réellement venu la sauver. Infiniment soulagée, elle sentit qu'il la soulevait dans ses bras protecteurs et se blottit contre sa poitrine, oubliant un instant dans sa gratitude toutes les raisons qu'elle avait de lui en vouloir. Delminico criait et jurait à leurs côtés, mais elle percevait sa voix comme un bourdonnement lointain qui ne la concernait pas. C'était à peine si elle distinguait la voix de Roan. Comme dans un rêve, elle se laissa porter hors de la chambre, à peine consciente de sa nudité.

Dans l'ascenseur, elle garda obstinément les yeux fermés, ne consentant à les ouvrir que lorsqu'elle fut sûre d'être arrivée dans la suite de Roan.

— Je te déteste, murmura-t-elle en le regardant dans les yeux.

Un sanglot saccadé accompagna ses paroles.

— Je n'ai rien à voir avec le fait que ce détraqué soit venu dans ta chambre, si c'est ce que tu crois. Je peux être un salaud, mais pas à ce point, répondit Roan en se laissant tomber sur le canapé avec elle encore entre les bras. Laisse-toi aller, ma chérie, c'est fini, maintenant.

Amy sentit un flot de larmes brûlantes couler sur ses joues. Elle pleura et l'insulta, il l'avait mise en danger, il l'avait humiliée… Elle frappa de son poing contre sa poitrine et dans la même seconde, se blottit contre lui à la recherche de réconfort. Roan l'écoutait en silence, caressant ses cheveux d'une main rassurante. Comment pouvait-elle éprouver autant de gratitude et le détester en même temps ? Il l'avait sauvée, oui, mais s'il ne l'avait pas renvoyée, elle n'aurait jamais subi l'attaque de l'autre dingue…

Amy resta longtemps accrochée au cou de Roan, se laissant bercer comme un enfant, et se convainquant peu à peu qu'il n'y était pour rien dans l'incident avec Delminico. Il avait été dur, certes, et il avait cherché à la punir en l'éloignant de lui, mais elle ne pouvait pas le blâmer pour la tentative de viol.

Si elle avait si mal, si elle sentait son cœur brisé, c'était parce qu'elle devait accepter qu'il n'était pas du tout amoureux d'elle. Non, elle ne haïssait pas Roan Cavello. Elle l'aimait beaucoup trop pour cela.

Roan écouta les reproches d'Amy sans relâcher un instant son étreinte, et la garda longuement serrée contre lui jusqu'à ce qu'elle cesse de parler et se détende dans ses bras. Ses larmes avaient mouillé sa chemise au point qu'elle lui collait à la peau, mais peu importait. Au bout d'un moment, le souffle lourd d'Amy lui indiqua qu'elle s'était endormie. Il scruta son visage. Les cernes bleutés sous ses yeux prouvaient à quel point cette journée l'avait éreintée, et même dans son sommeil, elle laissait encore échapper quelques sanglots épars.

La colère qu'il ressentait contre Delminico le disputait dans son esprit au souci que la détresse d'Amy lui causait, et s'il n'avait pas trouvé plus important d'éloigner son amante de la chambre où elle avait vécu un cauchemar, il aurait démoli ce sale type à coups de poing.

Il laissa glisser doucement le corps d'Amy sur le canapé, la couvrit d'une couverture et resta assis à côté d'elle, caressant son dos pour la réconforter même endormie. Elle s'agita mollement, mais il pouvait sentir que la tension qui braquait ses muscles laissait peu à peu place à un relâchement confiant.

Steve Delminico pouvait s'estimer heureux de s'en tirer avec une simple expulsion musclée de son casino, se dit Roan. Comment avait-il pu se méprendre à ce point sur ce type ? Certes, il ne l'avait jamais trouvé bien net, mais pas une seconde, il n'aurait pu imaginer qu'il soit capable de violer une femme. Il repensa à la manière dont cette ordure avait tenté de se justifier. Il avait conclu, en trouvant la porte ouverte, qu'Amy était une « faveur » du casino. Ça ne tenait pas debout ! Comment Delminico pouvait-il avoir pris cela pour une invitation à se glisser dans son lit ? Roan secoua la tête, écœuré.

L'attitude d'Amy, cependant, dépassait aussi son entendement. Pourquoi n'avait-elle pas appelé à l'aide alors qu'un inconnu entrait dans sa chambre ? A moins qu'elle n'ait eu l'intention de coucher avec Delminico, mais alors, s'interrogea Roan, pourquoi l'avait-elle repoussé ensuite ? Car lorsqu'il avait repéré la bagarre dans la chambre grâce aux caméras de surveillance, la façon dont elle se défendait, bec et ongles, ne laissait aucun doute sur le fait qu'elle ne voulait pas du Texan.

En quête d'une réponse, il alluma l'ordinateur qui se trouvait sur son bureau. Il tapa le code d'accès au système de sécurité et chercha les images enregistrées une heure plus tôt. L'estomac retourné, il regarda Tim raccompagner Amy dans la chambre et la laisser seule, sans, en effet, penser à verrouiller la porte. Le vigile ne semblait pas s'être aperçu que quelqu'un l'avait observé tandis qu'il escortait la jeune femme. Roan cliqua sur le fichier de la caméra qui surplombait le couloir de cet étage. Delminico apparut sur l'écran, debout sur le seuil de sa suite, l'air hésitant. Ensuite, Roan le vit approcher de la chambre d'Amy et, à en juger par son expression, être surpris que la porte ne soit pas fermée à clé. C'était à cet instant, devina Roan, qu'il avait imaginé qu'il pourrait coucher avec elle.

Il chercha ensuite l'enregistrement à l'intérieur de la chambre à la même heure. Il ignorait comment la bagarre avait commencé, car après avoir laissé Amy entre les mains de Tim, il avait lutté contre son envie de la surveiller, et lorsqu'il avait cédé à la tentation, elle subissait déjà l'attaque de Delminico. Avec une attention douloureuse, il écouta la conversation entre Delminico et Amy, et il sentit un long frisson le parcourir. Il était évident qu'elle avait gobé l'interprétation biaisée que Delminico lui avait donnée de la situation, et encore plus évident, qu'elle avait été blessée au-delà des mots. Roan eut soudain l'impression d'être le dernier des derniers. Amy avait vraiment cru qu'il l'avait trahie.

Au début de leur relation, se rappela-t-il avec un goût amer dans la bouche, il avait dit à Amy qu'il « lui ferait oublier tout ce qu'elle était pour la tailler à la mesure précise du moindre de ses souhaits ». Ne venait-il pas d'avoir l'affreuse preuve qu'il avait failli parvenir à ses fins ? Il se prit la tête entre les mains et soupira. Si Delminico n'avait pas été aussi répugnant, Amy se serait pliée à ce jeu obscène, persuadée d'exaucer l'un des souhaits de Roan car c'était ainsi qu'il l'avait façonnée. Bon sang, qu'avait-il fait avec elle ?

Il fallait que cela cesse. D'une façon ou d'une autre, il devait mettre fin à leur relation avant que son goût de la domination ne les détruise tous les deux, décida-t-il. Il lui faudrait faire appel à toute sa volonté, songea-t-il, la mort dans l'âme. S'il voulait pouvoir se regarder sans honte dans la glace, il devait délivrer Amy de son influence et la rendre, libre et indépendante, à la vie qu'elle menait avant leur rencontre.

Il devait s'éloigner d'elle, il le savait. Et pourtant, il ne put résister à l'envie de retourner auprès d'elle, de la prendre dans ses bras, et de la regarder dormir.

Chapitre 8

Amy se réveilla brusquement, dérangée par une douleur tenace dans le cou. Pas étonnant, comprit-elle en s'apercevant qu'elle avait dormi sur le canapé, blottie contre Roan. Et apparemment, comprit-elle en voyant la lumière du matin percer à travers les stores, ils y avaient passé la nuit.

Elle tourna les yeux vers Roan. Il était déjà éveillé, à moins qu'il n'ait passé une nuit blanche, songea-t-elle, sans oser lui demander s'il avait bien dormi tant l'expression de son visage demeurait insondable. Il la contempla en silence pendant de longues minutes, jusqu'à ce qu'Amy, l'estomac noué par une tension croissante, se lève et aille chercher refuge dans la salle de bains.

Tremblante comme une feuille, elle ouvrit au maximum le robinet d'eau chaude, dans l'espoir que le jet brûlant lave le souvenir des mains de Delminico sur son corps. Elle se frotta compulsivement, jusqu'à ce que sa peau rougisse, et lorsque les derniers vestiges de mousse disparurent par la bonde, elle se remit à pleurer en silence. Mais, comprit-elle, l'angoisse qui tenaillait sa poitrine n'avait plus rien à voir avec ce qui avait failli arriver avec ce salaud de Delminico. Elle pleurait à cause de Roan. Il ne lui avait pas adressé la parole ce matin, et hier, il n'avait murmuré que quelques vagues mots de réconfort. Elle n'arrivait plus à savoir ce qu'elle avait pu lui dire au milieu de sa crise de nerfs, mais elle espérait de tout son cœur que, malgré son agitation, elle avait su garder assez de jugeote pour ne pas lui avouer ses sentiments.

La porte de la cabine de douche s'ouvrit dans son dos, la tirant de sa confusion. Elle se frotta le visage pour que Roan ne voie pas qu'elle avait encore pleuré, et, lorsqu'il posa les mains sur ses épaules, elle se laissa aller contre lui sans opposer de résistance. Qu'attendait-il d'elle à présent ? se demanda-t-elle en penchant la tête pour recevoir ses baisers au creux de son cou. Roan la désirait encore, sans l'ombre d'un doute, son sexe durci qui se pressait contre ses fesses en était la preuve, mais cela ne signifiait pas grand-chose. La veille, lorsqu'il l'avait accusée de mentir et expulsée de sa chambre, il avait clairement exprimé qu'elle ne comptait pas pour lui. Elle devait s'y résoudre : elle n'aurait jamais son amour.

Certes, ils pouvaient encore partager quelques moments de cette passion qui ne ressemblait en rien à ce qu'elle avait connu auparavant. Ce n'était pas assez, mais, elle le savait, c'était tout ce qu'elle pouvait attendre de lui. Repoussant les protestations de son amour-propre qui s'indignait à cette idée, Amy se tourna dans les bras de Roan pour s'accrocher à son cou et l'embrassa fébrilement. Elle lutta pour repousser les larmes qui lui montaient à la gorge à la pensée que leurs baisers, comme leurs jours, étaient comptés. Mais cela, elle l'avait su dès le début. Une question cependant la taraudait. Comment allait-elle faire ensuite pour vivre sans lui ?

Les mains de Roan enveloppaient son corps avec une efficacité érotique redoutable, et malgré le poids du chagrin, Amy fut bientôt en proie à une excitation croissante. Qu'il l'aime ou non, cet homme jouait de son corps comme un virtuose…

Roan la souleva de ses bras puissants pour embrasser ses seins, et elle se cramponna au rebord de la cabine pour garder l'équilibre. La tenant fermement par les hanches, il la plaqua contre le mur de verre et s'accroupit devant elle tout en l'aidant à passer les genoux par-dessus ses épaules. Le souffle entrecoupé, elle sentit sa langue s'insinuer entre les replis de son sexe, traçant des cercles de plus en plus étroits autour de son point le plus sensible. Ses hanches ondulaient au rythme hypnotique de ces caresses. Quand Roan aspira son clitoris, sa respiration haletante se mua en un cri surpris. Tout son corps vibrait à l'orée de l'orgasme, et elle contint son souffle, se préparant à accueillir l'explosion du plaisir.

Mais Roan lui refusa la délivrance en s'écartant d'elle au moment critique. Il dégagea ses épaules et la fit descendre sur son ventre avant de quitter la douche avec elle enroulée à sa taille comme une liane. Amy sentait son sexe palpitant et humide, impatient d'accueillir celui de Roan, et la froideur du marbre du lavabo sur le bord duquel il venait de la poser contrasta de façon affolante avec la chaleur qui se dégageait de leurs deux corps. Dieu que c'était bon, songea-t-elle avec un râle éperdu lorsqu'il la pénétra.

Elle agrippa les épaules de Roan et le pressa plus étroitement contre elle, et cette fois-ci, il la laissa marquer la cadence de leur étreinte, les mains fermement rivées à ses hanches. Les jambes croisées autour de ses reins, elle allait et venait contre lui, encore et encore, tandis que le frôlement de son clitoris contre son ventre musclé la poussait plus loin dans la spirale du plaisir. Leurs regards se rencontrèrent, mais l'étincelle de complicité, qu'en d'autres occasions, elle avait trouvée dans les yeux de Roan lorsqu'il la fixait pendant l'amour, n'était pas au rendez-vous. Elle attendait un signe, un mot de Roan car elle pensait en avoir déjà trop dit la veille, et elle voulait que ce soit lui qui rompe le silence. Mais tout ce qu'elle put obtenir ce fut le râle déchiré qu'il poussa au moment de l'orgasme. Son sexe se raidit, déclenchant son propre orgasme. Son corps tressaillit sous les secousses de la jouissance qui se répandit en de longues ondes dans tout son corps. Mais aussi fort que le plaisir ait pu être, elle n'arriva pas à se sentir comblée. Elle appuya sa tête sur l'épaule de Roan pour se dérober à son regard perçant, serrant les dents pour repousser les larmes qui lui tenaillaient la gorge.

Il déposa un baiser tendre sur sa tempe.

— Je suis désolé, murmura-t-il tout près de son oreille. Je suis désolé que cet abruti t'ait agressée, car si je ne t'avais pas envoyée dans cette chambre, cela ne serait jamais arrivé. Je ne ferais jamais rien de tel de façon délibérée. Et j'espère que tu sais que je tiens à toi.

— Je sais, souffla-t-elle.

Ce n'était pas les mots qu'elle voulait entendre, mais pour l'instant, cela suffisait, se raisonna-t-elle, s'efforçant de ne pas écouter la voix qui, au plus profond de son être, réclamait quelque chose d'autre, d'une nature complètement différente. Mais cette chose, elle le savait, elle ne l'aurait jamais. Et c'était l'amour de Roan.

Roan semblait déterminé à ne plus mentionner l'incident avec Delminico, ni les circonstances qui l'avaient entouré, et, au bout de quelques jours, Amy finit par penser que c'était mieux ainsi. Elle se demandait souvent ce que Roan pensait d'elle et surtout, s'il croyait toujours qu'elle lui avait menti sciemment, mais, à aucun moment, il ne se départit de son mutisme. Au fur et à mesure que les jours passaient, elle se sentait de moins en moins le courage d'aborder le sujet.

Cet après-midi-là, désœuvrée, elle flânait dans les boutiques situées au rez-de-chaussée du casino et, comme tant d'autres fois, elle observa à travers les portes vitrées le mythique Strip, le grand boulevard de Las Vegas. Des centaines de personnes sortaient du Nabab chaque heure, et si elle avait été capable de choisir ce qui était bon pour elle, elle aurait franchi ces portes sans un seul regard en arrière. Peu importait qu'elle se soit adonnée avec un enthousiasme sincère à ses jeux de domination ou qu'elle ait satisfait le moindre de ses caprices sexuels, car

Roan ne lui donnerait jamais rien d'autre que du plaisir physique. Et, se rappela-t-elle malgré son dépit, elle ne pouvait pas lui en tenir rigueur, car il ne s'était jamais engagé à rien d'autre qu'à ne pas avertir la police de son délit. Elle ne pouvait blâmer que son stupide cœur de Cendrillon en mal de prince si elle s'était mise à fantasmer sur une histoire avec happy end.

Sauf que ces pensées lucides ne rendaient pas moins douloureux le fait que Roan ne l'aimerait jamais, songea-t-elle en passant devant la boutique de tatouages où il l'avait conduite le premier jour. C'était il y a seulement quelques jours et pourtant, cela lui semblait appartenir à un passé lointain…

Quelqu'un la saisit soudain par le bras, la tirant de ses tristes pensées. Elle se tourna, contrariée, pour voir qui se permettait cette familiarité, et elle put à peine contenir un cri lorsqu'elle se retrouva nez à nez avec son cousin.

— Oh, mon Dieu ! Kevin ! Tu es fou, que fais-tu ici ? dit-elle, en même temps qu'elle se jetait dans ses bras pour l'étreindre longuement.

Kevin s'écarta d'elle avant de répondre.

— Je voulais m'assurer que tu allais bien.

— Je vais bien, répondit-elle en s'apercevant alors que lui, en revanche, avait une mine de déterré.

Il semblait avoir pris dix ans depuis la dernière fois qu'elle l'avait vu. Elle lui caressa la joue avec tendresse, frôlant de son pouce une ride à la commissure des lèvres qu'elle ne lui connaissait pas. Malgré toutes les raisons qu'elle avait pour être fâchée contre son cousin et ses mensonges, sa première réaction fut de s'inquiéter pour lui.

— Tu n'as pas l'air en forme.

Il jeta un regard inquiet autour de lui avant de répondre.

— Je vais bien maintenant, dit-il, en la prenant par le coude tout en se dirigeant vers la sortie. Sortons d'ici d'abord, je t'expliquerai chez toi.

Elle hésita. A vrai dire, elle ne savait pas si Roan la faisait encore surveiller par ses vigiles ou si quitter le casino lui aurait été aussi simple que de flâner dans les boutiques.

— Je ne peux pas partir.

— Pourquoi diable ne pourrais-tu pas venir ? Je t'observe depuis quelques jours, et je n'arrive pas à comprendre ce que tu fabriques encore ici.

— Je n'ai pas le choix. Roan Cavello m'a repérée quand on trichait.

— Oh, Amy ! Je ne voulais pas que…

— Je sais, dit-elle d'une voix impatiente qu'elle s'efforça aussitôt de radoucir. Je travaille ici pour rembourser notre dette, donc tu ferais mieux de filer avant que quelqu'un ne remarque ta présence.

Kevin la regarda, choqué.

— Non, hors de question ! Je ne peux pas te laisser porter le chapeau, dit-il. Que t'a-t-il demandé de faire ?

— Il faut que tu partes, dit-elle, esquivant la question. Oh !

Dans le reflet de la vitrine, elle venait de voir Tim Duffy flanqué d'un autre homme en costume noir qu'elle ne connaissait pas.

— Va-t'en, je t'en supplie, Kevin ! Ils arrivent !

— Attends, il faut que je te dise quelque chose avant.

— Pas le temps, siffla-t-elle entre ses dents. Je sais que tu m'as menti sur la situation financière de tes parents. Tu m'expliqueras pourquoi une autre fois.

— Je…

Oh, elle aurait pu le gifler ! pensa-t-elle, bouillonnant de frustration, mais Tim et l'autre type étaient déjà parvenus à leur hauteur.

— Roan veut me voir ? demanda-t-elle au vigile, en une dernière tentative de gagner du temps.

Sans même prendre la peine de lui répondre, Tim passa devant elle et posa lourdement une main sur l'épaule de Kevin.

— Viens avec nous. Le propriétaire du casino veut te parler.

— Pourquoi ? demanda Amy d'une voix qui lui sembla un piaillement d'oisillon. Qu'est-ce que Roan attend de ce type ?

Tim se tourna enfin vers elle et la passa lentement en revue de la tête aux pieds, lubrique. Amy en eut des frissons.

— Sans doute une chose bien différente que ce qu'il veut de toi.

Amy serra les dents et marcha derrière son cousin qui avançait docilement entre les deux hommes sans opposer la moindre résistance. Elle ne fut pas surprise de voir qu'ils l'emmenaient vers la salle d'interrogatoire où elle avait vu Roan pour la première fois. En revanche, elle s'étonna qu'on la laisse y entrer sans la moindre protestation.

Roan se trouvait déjà dans la pièce, assis à la table, aussi calme et imperturbable qu'à son habitude. Il congédia les deux vigiles d'un geste silencieux et demanda à Kevin de s'asseoir. Amy prit place à côté de son cousin, s'efforçant de prendre un air méfiant. Peine perdue, Roan ne l'avait même pas regardée. Elle avait l'impression de se trouver devant un tribunal sans avocat et à la merci d'un juge partial.

— Tu dois le laisser s'expliquer, Roan, dit-elle sans pouvoir se contenir.

— Je n'en vois pas l'intérêt, répondit-il, posant sur elle un regard froid.

— Eh quoi ? Tu vas le punir sans même lui permettre de se défendre ? Mais je ne vois pas de quoi je m'étonne.

— Pourquoi devrais-je croire qu'il va me dire la vérité alors que toi, tu m'as menti ? J'ai fait des recherches à son sujet, Amy. Et je sais maintenant pourquoi vous m'avez volé tous les deux.

— J'aimerais le savoir, moi aussi, dit-elle, en regardant les deux hommes tour à tour.

— Amy, je…

Roan reprit la parole comme si Kevin n'était pas là.

— Ton cousin s'est mis dans une sale situation dans un autre casino de Las Vegas, dit-il en désignant un dossier devant lui.

Et Odin St. Clair, qui en est le propriétaire, n'est pas le genre de personne à qui tu veux devoir de l'argent, n'est-ce pas, Kevin ?

— N...non, monsieur, balbutia Kevin.

Roan braqua un regard accusateur sur Amy.

— Et toi, tu t'es dit que cette excuse n'était pas assez émouvante, j'imagine, et que l'histoire d'un vieux couple de fermiers au bord de la faillite serait beaucoup plus vendeuse. Et la vérité, Amy ? As-tu déjà pensé à dire la vérité ?

Amy soutint son regard, sans vouloir montrer à quel point ses mots la blessaient.

— Je ne t'ai jamais menti.

— De quoi parle-t-il ? demanda Kevin, confus.

— Du mensonge que tu m'as raconté, répondit-elle, sèchement.

Roan tapota la table d'un geste impatient pour attirer leur attention.

— Je compatis à ta situation, jeune homme, dit-il, sans laisser parler Kevin dont le regard s'éclaira d'une lueur d'espoir. Je n'approuve pas les méthodes de St. Clair, elles datent d'une autre époque. Tu as de la chance qu'il t'ait laissé le temps de le rembourser au lieu de te faire tuer sur-le-champ.

Amy se tourna vers son cousin.

— Je ne sais ce qui s'est passé, dit Kevin, le regard vissé à ses genoux. C'est arrivé... comme ça. J'avais une veine d'enfer, je gagnais, je gagnais et soudain, le vent a tourné. Sans savoir comment, je me suis trouvé à devoir trois cent mille dollars.

Amy l'écoutait, tétanisée. Kevin leva son visage vers Roan.

— Je ne savais pas quoi faire, alors je me suis adressé à Amy. C'est elle la plus intelligente de la famille, mes parents l'ont toujours dit. Je suis désolé de t'avoir embarquée dans cette galère, conclut-il, penaud, la regardant de nouveau.

— Tu aurais pu me dire la vérité. Je t'aurais aidé quand même.

— Vraiment ? dit Kevin, sceptique. Si j'étais venu te demander de m'aider à tricher dans un casino pour rembourser mes dettes de jeu, l'aurais-tu fait ?

Amy ne put soutenir son regard. Elle pouvait comprendre son cousin. Ignorant que St. Clair était un type dangereux, capable de tuer, elle aurait refusé de lever le petit doigt, et aurait laissé son cousin se débrouiller. Tout au plus, elle l'aurait sermonné sur les dangers de ce vilain vice qu'était le jeu.

— Non, j'imagine que non. Je suis désolée.

Roan toussota, une expression énigmatique au visage.

— Amy ne savait pas pour toi et St. Clair ?

— Non, monsieur, confirma Kevin timidement. J'avais honte et… j'avais trop besoin de son aide pour lui avouer la véritable raison.

— Alors, comme tu vois, je ne t'ai jamais menti, souligna Amy à l'intention de Roan avec un regard de triomphe.

Celui-ci ignora ce commentaire pour concentrer son attention sur Kevin.

— Je ne vais pas appeler la police.

— Oh, merci, monsieur, merci, s'étrangla Kevin. Amy m'a dit qu'elle travaillait pour vous, je peux faire comme elle.

— Hum… non, dit Roan. J'ai autre chose en tête pour toi. Disons qu'il s'agit de mon propre programme de rééducation pour joueurs.

— Tout ce que vous voudrez, monsieur, acquiesça Kevin.

— Tu vas travailler pour rembourser ta dette, et laisse-moi te prévenir : cela va prendre un bon moment et ce ne sera pas une partie du plaisir. Je serai clair : tu vas devoir occuper les postes les plus ingrats, les moins glamour de mon casino. As-tu d'autres engagements ? Un boulot ? Une copine ? Quelqu'un qui doit être prévenu que tu travailles ici ?

Kevin secoua la tête.

— Bien, continua Roan. Je préfère pouvoir garder un œil sur toi. Tu n'as rien contre loger dans le casino ?

La question, pensa Amy, était purement rhétorique et Kevin devait l'avoir compris. Il était évident que son cousin n'avait pas intérêt à contrarier le moindre souhait de Roan… à moins de vouloir passer quelques mois en prison.

Kevin déglutit avec difficulté, mais il semblait avoir retrouvé un semblant de confiance.

— Absolument rien contre, monsieur. Je ferai tout mon possible pour vous rendre votre dû. Ce n'est pas à Amy de payer à ma place et…

— Elle a aussi sa part de responsabilité, l'interrompit Roan, en même temps qu'il appuyait sur un interrupteur encastré dans la table.

La porte de la pièce s'ouvrit et les deux vigiles entrèrent aussitôt.

— Kevin fait désormais partie du personnel du casino, expliqua Roan. Accompagnez-le à son hôtel pour qu'il récupère ses affaires et installez-le dans une des chambres de service. Ensuite, vous l'enverrez en cuisine, sous les ordres de Pierre.

Amy regarda son cousin se lever, l'air hagard, et suivre les deux hommes en silence après lui avoir adressé un petit geste de la main. En silence, elle attendit que Roan prenne la parole, incapable d'imaginer ce qu'il lui réservait par la suite.

Sans la regarder, il alla débrancher la caméra de surveillance et s'approcha d'elle d'un pas lent. Elle le suivit des yeux, le cœur battant à tout rompre. Il s'appuya contre la table en face d'elle et pencha son visage sur le sien, l'étudiant longuement.

— Il semblerait donc que ma petite voleuse ait des principes ? dit-il enfin.

— Je n'aurais jamais songé à commettre un délit sans avoir de très bonnes raisons, répondit-elle, la tête fièrement dressée.

— Des bonnes raisons ? ironisa-t-il. A tes yeux, peut-être !

— Comme tu voudras, soupira-t-elle. Mais je voulais quand même te remercier.

— En quel honneur ? s'étonna-t-il.

— Tu aurais pu envoyer Kevin en prison… Tu ne l'as pas fait. Donc merci.

— Mais je t'en prie, dit-il avec son demi-sourire de mauvais garçon. Je ne suis pas un salopard sans cœur, tu sais…

— Ah non ?

Elle n'avait pu éviter qu'une pointe de cynisme perce dans son ton. Mais elle commençait à en avoir plus qu'assez de sa pose de gentleman. Certes, il avait su se montrer le plus charmant des hommes à plusieurs reprises, c'était d'ailleurs pour cela qu'elle avait craqué pour lui, mais, ces derniers jours, elle ne l'avait pas vu manifester la moindre ombre d'une émotion.

L'avait-elle enfin atteint avec son sarcasme ? se demanda-t-elle en percevant une étincelle de douleur traverser les yeux de Roan. Ou l'avait-elle imaginée ?

— Je suis peut-être dur, dit-il en se penchant sur elle et en la forçant à lever les yeux vers elle. Mais toi, tu n'es qu'une petite voleuse.

Amy tenta de ne pas montrer à quel point sa proximité la troublait.

— Et toi, tu es quoi ? Un homme capable de s'acheter une esclave sexuelle ? rétorqua-t-elle, surprise d'arriver à parler d'une voix maîtrisée. Nous allons peut-être devoir accepter que nous ne sommes pas, ni l'un ni l'autre, aussi irréprochables que nous le prétend…

La bouche de Roan sur la sienne l'empêcha de finir sa réplique, et malgré elle, elle sentit tout son corps s'enhardir sous la violence contenue qu'il dégageait. Elle avait éveillé sa colère, et en éprouvait un malin plaisir. Au moins, songea-t-elle, elle avait enfin réussi à susciter chez lui une émotion.

Elle lui rendit son baiser féroce, envahissant sa bouche avec sa langue, mordant ses lèvres quand il mordait les siennes, osant même enfoncer sa main dans les cheveux blonds de Roan pour l'embrasser encore plus profondément. Enfin, la passion revenait entre eux…

Mais d'un geste brusque, il se dégagea de son étreinte.

— Désolé, poupée, dit-il d'un ton nonchalant, comme si

leur baiser ne l'avait pas affecté le moins du monde. On finira ceci à un autre moment.

Amy le laissa partir sans articuler un seul mot. C'était impossible de continuer comme cela. Elle ne supportait plus ce manque d'affection. Roan ne lui avait jamais murmuré de mots d'amour, mais les premiers jours, il était capable de gestes de tendresse, il la serrait entre ses bras longuement après avoir fait l'amour, il se montrait galant... Mais ça, c'était avant l'agression de Delminico. Depuis, il n'avait pas exprimé d'émotion qui ne soit pas liée à leur activité sexuelle. Et à présent, il devenait désagréable au milieu d'une étreinte.

Vaincue par la tristesse, Amy se recroquevilla sur sa chaise. Il fallait qu'elle parvienne à l'accepter une bonne fois pour toutes. Le cœur de Roan ne battait pas pour elle.

Chapitre 9

Alors que le dîner touchait à sa fin, Amy lâcha bruyamment la fourchette sur l'assiette où son repas à peine entamé refroidissait. Trois jours s'étaient passés depuis que Roan avait appris la vérité, et depuis, il ne lui avait pas prodigué la moindre caresse. La frustration, aussi bien affective que sexuelle, commençait à lui porter sur les nerfs et, malgré sa résolution à ne rien laisser transparaître, elle se sentait sur le point d'exploser.

— Eh bien ? lança-t-elle soudain d'un ton peu amène.

— Eh bien, quoi ? demanda Roan, en continuant à manger son tournedos avec appétit.

— Tu ne veux pas en parler, c'est ça ?

— Parler de quoi ?

Oh, ça, c'était de la mauvaise foi délibérée.

— De nous, expliqua-t-elle. De notre vie sexuelle ou… de notre manque de vie sexuelle, plutôt.

— Je vois, commenta-t-il, l'air de considérer attentivement la question. Veux-tu dire que tu te sens… insatisfaite ?

— A ton avis ?

— A mon avis, tu es une femme insatiable, dit-il avec un sourire carnassier et un clin d'œil. Comme je les aime.

Amy le regarda reprendre son dîner tandis qu'elle comptait mentalement jusqu'à dix. Il ne fallait pas qu'elle se soucie de la réaction qu'elle provoquait, se rappela-t-elle avec calme. La priorité, c'était d'obtenir la preuve que Roan ressentait quelque chose. Dans ses rêves les plus fous, elle imaginait que Roan se rendait enfin compte qu'il ne pouvait pas vivre sans elle. Mais de façon plus réaliste, elle pourrait se contenter d'une explication cohérente. Et dans tous les cas, elle allait lui dire ce qu'elle avait sur le cœur.

— A ton avis, Roan, pourquoi ai-je aussi souvent envie de toi ? Pourquoi je ne me lasse pas, et je suis toujours prête pour toi, quand tu veux, comme tu veux ? Tu ne le sais pas ? Eh bien, laisse-moi te le dire : tu m'as dévoilé un monde nouveau, très excitant, et je n'ai qu'une envie, c'est d'aller plus loin.

Roan la regarda, pensif, comme s'il réfléchissait à ce qu'il venait d'entendre.

— Mais oui, bien sûr. Je crois que je comprends ce qu'il se passe, dit-il enfin avec un demi-sourire mauvais.

— Ah bon ? demanda-t-elle, sceptique.

— Tu es enfin prête à voler de tes propres ailes. Je t'ai éveillée à ta véritable nature, et ça, c'est le moyen que tu as trouvé pour me dire que tu veux te libérer de notre « arrangement ».

Amy le regarda, bouche bée, choquée.

— Mais non, Roan, c'est...

— Mais si, mais si. Et je crois que tu as raison. Nous avons tous les deux tiré de cette affaire tout ce que nous pouvions en espérer. Maintenant que ton cousin a pris en charge sa part de la dette, tu as honoré ta part du deal, dit-il plaisamment. Tu es libre de partir quand tu veux.

— Tu es stupide ou quoi ?

— Je te demande pardon ?

D'un bond, Amy se leva, prit son verre et le lança violemment contre le mur. L'éclat du cristal brisé retentit comme un coup de feu dans le silence de la pièce.

— Pourquoi diable as-tu fait cela ? demanda-t-il.

— Parce que tu joues les abrutis ! dit-elle en contournant la table pour s'approcher de lui et le regarder droit dans les yeux.

Oui, bien sûr que tu as libéré mes inhibitions et que tu m'as aidée à découvrir une part de ma sexualité que j'ignorais, mais ce n'est pas la raison pour laquelle je suis restée. Et ce n'était pas non plus pour m'éviter la prison.

— Ah non ? Et pourquoi es-tu restée, alors ?

— Bon sang, Roan ! Je t'aime ! En dépit de ce que tu as pu faire, en dépit de ton manque de confiance envers moi alors que je t'avais accordé la mienne sans te connaître. Comment peux-tu être si aveugle ? s'exclama-t-elle avec des sanglots dans la voix. J'ai tout fait pour que tu t'attaches à moi. Et je ne voulais pas en arriver là, mais regarde, j'y suis, à te supplier pour des miettes d'affection ! Tu m'as donné beaucoup de plaisir, mais tu n'as que faire de moi. Et je ne peux plus le supporter…

Les larmes coulaient copieusement sur ses joues, et elle les balaya, agacée, avec le dos de sa main.

— Je ne dirais pas que tu supplies, ma belle, dit enfin Roan d'une voix douce en lui caressant la joue.

La tendresse de ce geste éveilla une lueur d'espoir dans l'esprit d'Amy.

— Mais tu n'es pas amoureuse de moi, Amy, continua-t-il. C'est normal que tu confondes passion et amour, surtout après certains des jeux qu'on a partagés. J'ai dû, sans le vouloir, te rendre trop dépendante de moi en cultivant ton penchant pour la soumission.

Elle recula comme si elle avait reçu une gifle.

— Je ne suis pas une gamine ! Je sais parfaitement ce que je ressens. Je t'aime.

— Je regrette, Amy, répondit Roan avec un soupir. Je n'éprouve pas les mêmes sentiments à ton égard. Tu sais comme moi sur quoi était basée notre relation dès le début.

— Un échange de bons procédés, c'est ça ?

— J'allais dire le sexe, mais tu peux l'appeler ainsi, c'est juste aussi, dit-il, en soupirant de nouveau. Je ne t'ai jamais menti, ni fait de promesses romantiques. J'avais envie de toi, comme tu avais envie de moi. Un point c'est tout. Tu n'étais pas censée tomber amoureuse.

Oh, mais pourquoi était-elle si vulnérable devant lui ? se désola-t-elle. Pourquoi n'arrivait-elle pas à s'accrocher au peu qu'il lui restait de dignité pour tourner les talons et ne plus jamais voir cet homme ? Pourtant, elle le savait, elle irait coûte que coûte au bout de ses émotions.

— Je n'ai pas pu m'en empêcher, dit-elle. Je ne le voulais pas, c'est arrivé, malgré moi.

— Je suis désolé.

— Non, c'est moi qui suis désolée. Pour toi. Tu es si raide, si inquiet de garder le contrôle sur chaque parcelle de ta vie, que tu es incapable d'ouvrir ton cœur, tu es même incapable de montrer la moindre émotion. Je préfère être comme je suis, quitte à pleurer toutes les larmes de mon corps, qu'avoir un cœur de pierre comme le tien. Dis-moi, Roan, c'était quand la dernière fois que tu as éprouvé des sentiments pour quelqu'un ?

— Tu devrais rassembler tes affaires, dit-il alors, esquivant la question. Un de mes hommes te conduira où tu voudras. Fais ta valise, tu peux emporter ce que tu veux.

— Sauf ton cœur, dit-elle avec douceur. Et je ne veux rien d'autre.

Il secoua la tête tristement.

— Désolé, Amy. Je ne peux pas te le donner.

— Je sais.

Une sensation d'oppression comprima sa poitrine, et elle dut se concentrer pour respirer. C'était le poids de la défaite, pensa-t-elle. Il fallait qu'elle l'accepte. Roan et elle, c'était fini.

— Je vais voir qui peut se libérer pour te raccompagner, dit-il en se relevant pour quitter la salle à manger sans même lui adresser un dernier regard.

— Au revoir, murmura-t-elle.

Elle savait que c'était la dernière fois qu'elle le voyait. Après la grande déclaration qu'elle venait de lui faire, elle l'avait effrayé avec ce débordement d'émotions et de mots, et plus jamais il ne voudrait l'affronter. Pourtant, elle savait qu'il ressentait quelque chose pour elle. La tendresse de certains de leurs moments n'aurait pas été possible autrement, mais Roan était trop têtu pour l'admettre.

Leur histoire était donc bel et bien finie, se répéta-t-elle. Elle avait tout misé sur une seule carte, et elle avait perdu.

Assis face au mur de verre de son bureau, Roan broyait du noir. Il consulta la pendule accrochée au mur. A l'heure qu'il était, Amy devait avoir quitté sa suite. Sauf qu'il n'avait aucune envie d'y retourner.

Agacé, il fit pivoter son fauteuil. Le souvenir des derniers mots d'Amy résonnait dans ses pensées, et il ne pouvait plus supporter son propre reflet dans la surface vitrée, qui semblait lui reprocher son refus entêté à admettre à quel point elle avait raison.

Avec un soupir, il se laissa aller contre le dossier de son siège et ferma les yeux. L'image du corps d'Amy revenait à son esprit comme la douleur à un membre amputé et il avait l'impression que son parfum embaumait l'air de la pièce. Ses lèvres souffraient du manque des siennes.

— Bordel, grommela-t-il en tapant du poing sur la table sans ouvrir les yeux, dans l'espoir de dissiper ces souvenirs douloureux.

Quelle sorte d'homme était-il devenu, pour rester ainsi à sa table, pétri de regrets à propos d'une femme qu'il avait éconduite de la façon la moins courageuse qui soit ? Le plus dur, c'était qu'Amy avait tapé juste, il n'était qu'un lâche, incapable de faire face à ses propres sentiments.

Beaucoup de femmes étaient passées dans sa vie. Il avait pris ce qu'il avait à prendre, sans jamais chercher à les retenir, ni à se raconter de jolies histoires. A l'exception de Julia. A l'exception d'Amy.

Le désir que Julia avait éveillé en lui l'avait aveuglé. Il était tombé fou amoureux d'elle, sans retenue. Pas elle, à son grand dam. Lorsqu'elle l'avait quitté, il avait souffert, par amour et par fierté, beaucoup plus qu'il n'avait jamais voulu l'admettre. Lorsqu'il avait raconté à Amy sa liaison avec Julia, il l'avait décrite comme une affaire sans importance, mais ce n'était qu'une pâle version de la réalité.

Si Julia l'avait blessé si profondément, elle lui avait aussi donné les armes pour ne plus se retrouver dans la même situation. Après elle, il n'avait eu aucun mal à éviter les pièges de l'amour... Jusqu'à ce qu'Amy arrive dans sa vie, songea-t-il, sentant une vieille douleur se réveiller dans sa poitrine, qu'il refusa de nommer. Il était hors de question que ses émotions le conduisent là où il s'était juré de ne plus jamais retourner.

Il s'agrippa au bord de la table et inspira profondément. Plusieurs fois. Un semblant de calme retrouvé, il put enfin se décider à regagner sa suite.

C'était dur de l'avoir perdue, oui, mais au moins, c'était lui qui avait pris la décision. Et il avait mal, mais c'était plus simple de maîtriser une douleur qu'il avait lui-même causée, que de baisser la garde pour se retrouver, au moment où il s'y serait attendu le moins, le cœur brisé.

Le calme qui régnait dans sa suite l'accueillit d'un silence moqueur.

— Je suis mieux sans elle, murmura-t-il à son image dans le miroir de l'entrée.

Mais ses propres yeux réfutaient ces paroles. Il regarda ailleurs. Il n'était pas encore convaincu, d'accord, mais il finirait par l'être, s'il se le répétait souvent.

Chapitre 10

Elle n'avait vraiment pas besoin de cela, songea Amy, lorsqu'elle apprit que Tim Duffy était l'un des deux hommes chargés de la raccompagner chez elle.

A présent, assise à ses côtés sur la banquette arrière de la limousine, elle gardait le regard rivé à la vitre fumée, tandis que le molosse, elle pouvait le sentir, ne la quittait pas des yeux.

Ce fut un soulagement lorsque la voiture aborda sa rue. Le chauffeur n'avait même pas eu le temps d'arrêter le moteur qu'elle était déjà en train de sauter sur le trottoir. Elle saisit d'un geste impérieux le petit vanity qu'elle avait emporté avec elle et ferma la portière d'un coup sec sans même remercier les deux hommes.

A sa surprise, Tim Duffy quitta aussi la voiture.

— Ne vous donnez pas la peine de m'accompagner, dit-elle par-dessus son épaule. Je connais le chemin.

D'un pas pressé, elle franchit la porte et monta jusqu'à son appartement. Oh, que c'était bon de se retrouver à la maison ! pensa-t-elle, en posant à la va-vite ses affaires sur la commode de son entrée minuscule. Elle étouffa un juron lorsque son sac tomba, et se mit à genoux pour ramasser les affaires qui s'étaient éparpillées sur le parquet. En se relevant, elle laissa échapper un cri de frayeur.

Tim Duffy se tenait en face d'elle, sur le seuil de la porte d'entrée. Son estomac se noua, mais elle se sentait tellement en colère qu'elle sut lui parler de façon péremptoire.

— Allez-vous-en.

— Vous avez oublié vos lunettes de soleil, dit-il sans pour autant les lui tendre.

— Laissez-les sur la commode et partez.

— Je veux que vous les preniez vous-même, dit-il, en avançant vers elle.

— Et moi, je veux que vous partiez, dit-elle d'une voix ferme, malgré la peur qui la tenaillait.

— Prenez-les, dit-il avec son regard inquiétant toujours rivé sur elle.

— D'accord, dit-elle en allongeant le bras pour en finir au plus vite.

Sauf qu'il ne les lui donna pas. Tant pis, se dit Amy, elle ne comptait pas s'approcher de lui d'un seul centimètre.

— Vous savez quoi ? Gardez-les, siffla-t-elle.

— Oh, que je suis maladroit, s'excusa-t-il de façon hypocrite, après avoir laissé tomber sciemment les lunettes. Vous devriez les ramasser, princesse.

— Dehors. Maintenant, ordonna-t-elle, commençant à perdre son sang-froid.

Il recula d'un pas et ferma la porte. Amy commença à paniquer. Elle était enfermée chez elle avec cet abruti, et personne ne savait qu'elle était là. Elle ne pouvait pas se laisser intimider, ou alors elle était perdue.

— Que voulez-vous ? demanda-t-elle, reculant malgré elle devant ces yeux affamés.

Il humecta ses lèvres fines comme une ligne.

— Juste un peu de ce que tu as déjà donné à Cavello et… à Delminico. Oh, ne fais pas l'innocente ! Je t'ai vue depuis la salle de contrôle, dit-il avec une grimace de charognard. Depuis ton arrivée, j'ai passé beaucoup de temps devant les écrans de surveillance. J'ai spécialement apprécié ta prestation dans l'ascenseur.

Amy contint son souffle, sentant ses joues rougir de honte. Ce type l'avait vue… Oh, c'était trop dégoûtant pour y penser.

— Je pense que vous devriez partir. M. Cavello n'aimerait pas apprendre ce que vous venez d'avouer.

— Il s'en fout, Cavello. Sinon, il ne t'aurait pas filée à Delminico.

— Si vous étiez en train de regarder, vous avez dû voir la scène jusqu'au bout. Roan est arrivé avant que Delminico puisse faire quoi que ce soit.

— Je n'ai pas vu la fin. Mais peu importe si Cavello a changé d'avis à la dernière minute. Il n'est pas là, maintenant.

— Il vous licenciera, menaça-t-elle d'un ton ferme. Je n'ai qu'à l'appeler.

Le rire gras de Tim couvrit la fin de sa phrase.

— Il n'en a plus rien à cirer de toi, princesse. Il fait ça tout le temps : baiser des femmes et les larguer ensuite. Sauf que, normalement, elles partent avec un cadeau d'au revoir. J'imagine que le tien, c'était de t'en tirer sans passer par la case prison.

Elle passa devant lui en prenant soin de ne pas le frôler pour rouvrir la porte de son appartement.

— Allez-vous-en, ordonna-t-elle d'une voix ferme.

— Tant pis pour toi, dit-il finalement, en haussant les épaules.

Dès qu'il fut sorti, Amy ferma la porte à clé, tourna le deuxième verrou et passa la chaînette de sécurité avant de s'assurer par le judas que Tim n'était pas resté sur le palier. Personne de ce côté-là, elle traversa le salon et regarda par la fenêtre qui donnait sur la rue. Les jambes en coton, elle attendit que le vigile sorte de son immeuble et monte dans la voiture avant d'oser lâcher un soupir de soulagement. Bon Dieu, elle avait vraiment besoin d'un verre. Ou dix plutôt.

Malgré une nuit de sommeil intermittent, Roan entama sa journée pratiquement convaincu de ne plus regretter d'avoir quitté Amy. Avec une détermination farouche, il travailla d'arrache-pied, bouclant dossier sur dossier et s'acquittant de ses obligations sociales avec un dynamisme sans faille. Pourtant, il n'arriva pas à avaler une seule bouchée de l'excellent saumon que le chef lui avait préparé pour le déjeuner et, malgré lui, il dut reconnaître que sa façade de bonne humeur pouvait s'écrouler d'un moment à l'autre.

Il repoussa le plat, agacé. Il faisait beau dehors, observa-t-il. Voilà qui lui ferait du bien. Du soleil, du vent et une bonne virée en voiture. Il appela son assistant.

— Brad, s'il vous plaît, demandez au garage de sortir la Mustang. J'ai envie de faire un tour.

— Oui, monsieur. Mais, et votre rendez-vous avec Greg Lynch ?

— Remettez ça à un autre jour. Ce n'est pas urgent.

— Bien sûr, monsieur.

Roan quitta son bureau par la porte du fond, imperméable à l'air de reproches que son assistant affichait. Tout ce qu'il voulait, c'était tout oublier en roulant à tombeau ouvert sur les routes du désert.

Lorsque la porte de l'ascenseur s'ouvrit au sous-sol, il entendit les voix de deux de ses hommes, Tim et Gordon, qui discutaient à l'entrée du garage. Sans doute profitaient-ils de leur temps de pause, pensa-t-il, car Gordon était en train de fumer.

— Alors, mec, ces dix dollars ? dit ce dernier en mâchouillant sa cigarette.

— Je vais te les donner, répondit Tim, hargneux. Mais arrête de me tanner avec ça.

— Mais je te l'avais dit, qu'elle n'allait pas vouloir de toi, mec, ricana son collègue.

Quelque chose dans l'attitude de Tim attira l'attention de Roan, et il resta en silence derrière sa voiture pour ne pas être aperçu.

— Va te faire foutre, Gordon, marmonna Tim. J'aurais pu l'avoir si j'avais voulu. Tu as bien vu les images, non ? C'était une vraie salope, je te dis.

— Mouais, non, j'suis pas d'accord. Je crois qu'elle et le boss avaient un truc. Il s'est passé quelque chose de spécial entre eux.

— Arrête de regarder ces films pour nanas, Gordon. C'est quoi, pour toi, un truc spécial ? Cette salope l'a volé, et il s'est remboursé en nature, voilà tout.

— Nan. Tu es vexé parce qu'elle a pas voulu de toi.

Soudain, Roan comprit. Ses employés étaient en train de parler d'Amy, et, à l'évidence, Duffy avait tenté de coucher avec elle. Son sang ne fit qu'un tour, et sans savoir comment, il se retrouva à empoigner Tim contre le capot de la voiture la plus proche.

— Qu'est-ce que t'as fait ? siffla-t-il d'une voix menaçante, en le regardant droit dans les yeux. Et ne me raconte pas de conneries.

— Rien, monsieur, bredouilla le molosse, complètement paniqué.

— Réponds-moi. Que s'est-il passé ? Qu'as-tu fait à Amy ?

— Rien, monsieur. Il ne s'est rien passé.

— Tu l'as agressée ? Blessée ? insista Roan, fou de rage à l'idée qu'Amy ait encore pu souffrir à cause de lui. Parle !

— J'ai… j'ai juste essayé d'avoir une part du gâteau, bredouilla le vigile, tremblant comme une feuille. Cette salope me rendait fou.

Roan le relâcha d'un geste brusque et recula. Il fallait qu'il arrive à se calmer. Amy n'avait rien, c'était ça le plus important, se répéta-t-il, en inspirant profondément.

— Tu es viré.

Duffy le regarda, interdit, les lèvres plissées dans une grimace d'enfant gâté.

— Mais qu'est-ce que ça peut vous faire ? protesta-t-il. J'ai travaillé pour vous pendant dix ans, et vous allez me virer à cause de cette garce ? Vous l'avez filée à Delminico, et moi, j'y ai pas droit ?

— Ne t'avise pas de parler d'elle dans ces termes, fulmina Roan, les poings serrés. C'est une femme très spéciale, et tu n'avais aucun droit de la traiter comme tu l'as fait ! Tu as trahi ma confiance et tu as de la chance de t'en tirer à si peu de frais.

— Vous voulez que je vous dise, Cavello ? répliqua Tim. Vous êtes un hypocrite, à vous la jouer maintenant comme si elle vous importait. Si elle était si spéciale, pourquoi vous l'avez larguée, hein ? Si vous n'en avez rien à cirer d'elle, qu'est-ce que ça peut vous faire que je la baise ? Bordel, elle pourrait se taper n'importe quel client de ce casino, vous vous en fichez. Alors, à quoi ça rime de me virer, moi ?

A ces mots, Roan cessa de réprimer sa colère. Il envoya de toutes ses forces son poing contre le nez de Tim, et le sang qui jaillit sur sa main, éclaboussant sa chemise, le remplit d'une joie sauvage. Il laissa échapper un grognement rageur, et secoua la tête.

Le regard effrayé du vigile qui le fixait depuis le sol, le visage en sang, le ramena à la raison. La violence physique n'était jamais une solution, et il le savait.

— Sors-moi cette ordure du casino, dit-il en s'adressant à Gordon.

Sans attendre une réponse, il composa avec rage le code de sécurité qui verrouillait l'armoire à clés, impatient de se rendre auprès d'Amy. Il devait la trouver, tout de suite. Il devait s'assurer qu'elle allait bien, et il allait…

Qu'est-ce qu'il allait faire, ensuite ? se demanda-t-il soudain, incapable de trouver la suite logique de la phrase. Lorsque Duffy lui avait crié qu'il n'avait rien à faire d'Amy, son cerveau s'était insurgé. Qu'il tenait à elle, il le savait, il ne le savait que trop bien, car il souffrait de son absence depuis qu'il lui avait dit qu'elle devait partir. Mais à présent, toutes les raisons pour lesquelles il l'avait fait semblaient bancales et à peine plausibles.

Il voulait bien se faire hacher menu s'il comprenait pourquoi il avait eu si peur d'accepter son amour et de la garder auprès de lui. Et, pour finir de l'humilier, il avait fallu que cet abruti de Duffy mette le doigt dessus pour qu'il comprenne à quel point il s'était comporté comme le roi des imbéciles.

Chapitre 11

Amy décida d'ignorer les coups qui frappaient à sa porte. Depuis l'expérience de la veille avec Tim Duffy, elle n'avait même pas osé s'approcher de l'entrée. Ce type lui avait semblé du genre à mal digérer un refus et à vouloir s'en venger. C'était l'une des raisons, d'ailleurs, qui la poussaient à quitter Las Vegas aussi vite que possible.

Elle continua à remplir le carton avec ses vêtements lorsqu'on frappa de nouveau. Les coups devinrent de plus en plus forts, jusqu'à ce que la porte vibre sous la force de chaque impact. Finalement, avec un soupir, elle se résolut à répondre, craignant que l'un de ses voisins ne s'alarme et n'appelle la police.

Lorsqu'elle regarda à travers le judas, elle dut étouffer un cri de surprise. Roan. Amy déverrouilla à grand-peine les serrures de ses mains tremblantes et elle le regarda entrer sans attendre d'y être invité. Avant qu'elle n'ait pu articuler le moindre mot, il ouvrit les bras et les serra avec désespoir autour d'elle.

— Je suis si désolé, murmura-t-il en la berçant contre lui.

Il la serra si fort que c'en était presque douloureux, mais en même temps, songea Amy, elle n'allait pas protester. Même si elle ne comprenait rien à ce qu'il se passait, c'était trop bon de se retrouver de nouveau contre la poitrine de Roan.

— Je ne savais pas que Duffy pouvait songer à t'agresser.

Tu vas bien ? demanda-t-il en palpant son corps avec douceur, comme s'il voulait s'assurer qu'elle n'était pas blessée.

Elle s'écarta de lui juste assez pour le regarder.

— Je vais bien, il ne m'a même pas touchée.

— J'ai été un parfait imbécile, dit-il, l'étreignant de nouveau. Si je ne t'avais pas laissée partir…

Le cœur d'Amy battit au rythme de l'espoir, même si elle voulait se raisonner de peur d'être encore déçue. Car peut-être que Roan voulait juste s'assurer qu'elle allait bien et qu'il allait encore lui donner le coup de grâce avec des mots blessants.

— Je vais bien, je t'assure, je vais bien.

— J'ai tout gâché, Amy, dit-il, comme s'il ne l'entendait pas. Tu ne voudras probablement pas me pardonner, et je ne pourrai pas te blâmer si tu ne le crois pas, mais je suis vraiment désolé. Je n'aurais pas dû te mettre dehors comme cela.

Amy sentit l'espoir et le désespoir se battre en duel dans sa poitrine.

— Et comment aurais-tu dû le faire alors ?

— Je n'aurais pas dû le faire. D'aucune manière. Tu… C'est avec toi que je veux être, et je veux que tu sois avec moi, près de moi, chez moi. Je m'en fiche si tu me quittes au bout d'une semaine ou d'un mois, ou si notre histoire ne tient qu'un an. Ce sera toujours ça de pris.

Amy sentit les larmes embuer son regard. Ainsi, c'était la peur qui l'avait fait agir comme il l'avait fait ? Un fol espoir se mit à danser en elle. Ce n'était pas que Roan ne l'aimait pas, non. Mais il avait tellement peur de la perdre qu'il avait préféré devancer l'éventualité en la quittant le premier. C'était une logique désastreuse, mais elle pouvait le comprendre. Elle se mit sur la pointe des pieds pour pouvoir lui parler tout contre sa bouche.

— Et si finalement, je ne pars jamais ?

— Amy, ne te sens pas obligée de me promettre quoi que ce soit. Nous sommes adultes tous les deux, et nous savons ce qu'il en est des relations… qui finissent toujours un jour.

— Chut. Nous allons être ensemble, et nous allons être indécemment heureux. Et si cela ne te convient pas, tu peux prendre la porte et comme ça je peux finir de faire mes valises. Je vais quitter cet appartement aujourd'hui, quoi qu'il en soit. Soit avec toi, soit pour retourner dans l'Oregon…

Il la regarda, interdit, ouvrant et fermant la bouche comme s'il avait perdu l'usage de la parole.

— D'ac…d'accord. Je suis d'accord sur le principe. Mais… J'ai une confession à te faire.

— Et c'est ?

— Je voulais mettre de la distance entre nous pour ne pas m'attacher trop à toi. Cela n'a pas marché, dit-il en la serrant contre lui avant de continuer. Je croyais que tu allais partir à la fin de notre deal, c'est pour cela que je t'ai quittée. Je suis un crétin fini.

— Oui, murmura-t-elle.

— Je suis fou amoureux de toi, Amy. Je ne veux pas te perdre, je ne veux même pas te perdre de vue une seule seconde. Seras-tu capable de le supporter ?

— Je dois pouvoir, je pense, murmura-t-elle, la voix étranglée par les larmes. Et maintenant, ramène-moi chez nous.

LILLIAN FEISTY

Audacieuse Chloe

éditions HARLEQUIN

Titre original :
TAKEN

Traduction française de ALBA NERI

83-85 boulevard Vincent-Auriol, 75646 PARIS CEDEX 13.
Service Lectrices — Tél. : 01 45 82 47 47
www.harlequin.fr

Chapitre 1

Ménage à trois.

L'expression résonnait comme un mantra dans l'esprit de Chloe tandis qu'elle traversait la salle bondée d'un des bars les plus cossus de Las Vegas. Deux hommes, assis à une petite table à l'autre bout de la pièce, l'observaient.

Elle sentit la température de son corps augmenter au fur et à mesure qu'elle avançait vers eux, fendant la foule de touristes galvanisés par cette espèce de surcroît d'énergie propre à Las Vegas. D'ailleurs, alors qu'elle y habitait depuis plus de cinq ans, elle-même ne cessait de se nourrir de ce flux inépuisable. Sans cette mystérieuse énergie qui n'existait qu'ici, aurait-elle jamais osé considérer sérieusement une idée si audacieuse, inhabituelle et troublante ? Aurait-elle sérieusement envisagé de transgresser l'un des derniers tabous de la société ?

Un frisson la parcourut.

Elle ne se trouvait plus qu'à quelques mètres des deux hommes. L'un, grand et blond avec des yeux bleu océan. L'autre, brun à la peau mate. Tous deux, tels que dans son souvenir, beaux à couper le souffle.

Un ménage à trois. C'était pour cela qu'elle se trouvait là. Le sujet n'avait jamais été abordé de façon directe, certes, mais le courant érotique qui sous-tendait les nombreux mails qu'ils avaient échangés depuis leur rencontre lors d'une convention culinaire, six mois plus tôt, était indéniable.

Les allusions érotiques, si subtiles au départ, planaient à présent, presque tangibles, sur leur relation. Suggestives. Grisantes.

Irrésistibles.

Et aujourd'hui, ces deux hommes se trouvaient à seulement quelques mètres. Si elle voulait, elle pourrait les avoir. Vivre son fantasme. Un ménage à trois.

Si elle le décidait. *Si ?* s'amusa Chloe. A quoi bon tergiverser ? La réaction de son corps ne laissait pas beaucoup de marge au conditionnel. La vérité était que, tandis qu'elle avançait vers Joe et Walker, tout son corps vibrait à l'idée de partager leur lit. Coucher avec eux deux. En même temps.

Seigneur, qu'elle était excitée !

Depuis qu'elle avait reçu le mail de Walker lui annonçant leur venue à Las Vegas, elle n'avait pu penser qu'à *ça*. Les images érotiques assaillaient son esprit sans qu'elle puisse les repousser, et son corps avait suivi, à en croire la manière dont il réagissait à ces scènes érotiques qui passaient en boucle dans son imagination.

Depuis une semaine, elle s'était caressée chaque soir en élaborant des scénarios où elle faisait l'amour à deux hommes en même temps. Walker et Joe, sur elle, en elle, pour leur bon plaisir. A tous les trois.

Et voilà qu'à présent, elle les avait à portée de main, pour de bon. Et le sentiment de n'avoir jamais été aussi excitée de sa vie...

— Chloe ! s'écria Joe en se levant pour la serrer dans ses bras. Comment vas-tu ?

Elle avait oublié à quel point sa voix était chaleureuse et rassurante. Sous l'éclat bienveillant de ces grands yeux, elle se sentait déjà un brin plus détendue.

— Très bien ! En pleine forme.

Elle s'abandonna à son étreinte, se délectant de son parfum

boisé et de son odeur personnelle. Oh, que c'était bon. Cela devait faire plus d'un an qu'elle n'avait pas été si près d'un homme.

Ce qui pouvait sembler quelque peu ironique, si l'on songeait qu'elle avait une vingtaine d'employés sous ses ordres, dont une majorité d'hommes. Mais sa position de chef dans l'un des restaurants les plus en vue de Las Vegas l'obligeait à garder les distances avec ses subordonnés. Et à montrer, en permanence, qu'elle « en » avait autant que n'importe quel mec.

Quand Joe la libéra de la douce prison de ses bras, Walker fit un pas vers elle et Chloe sentit son pouls s'accélérer. Il n'avait pas changé depuis la première fois qu'elle l'avait vu, toujours si grand et blond, l'incarnation parfaite du surfeur infatigable. Et sa seule présence suffisait à faire naître en elle une incroyable excitation.

C'était très curieux, songea-t-elle. Son attirance pour Joe était indéniable, mais Walker avait quelque chose d'indéfinissable qui chamboulait le rythme de son cœur. Ces six mois d'échanges en ligne lui avaient permis de découvrir un homme prévenant, à l'esprit vif et au charme magnétique.

— Salut, beauté, dit-il en l'entourant de ses bras d'athlète. Tu es resplendissante.

Ce dernier commentaire murmuré au creux de son oreille la fit frissonner. Oh, bon sang ! Mais qu'est-ce qui lui prenait ? C'était incroyable de réagir ainsi au quart de tour, rien qu'en entendant sa voix !

Elle essaya de se donner une contenance avant de répondre.

— Merci. Toi, aussi. Euh… enfin, tu as aussi, hum, bonne mine.

Mais qu'avait-elle à bégayer comme une débutante ? se désola-t-elle intérieurement. Walker n'eut pas l'air de s'en formaliser.

— Tiens, assieds-toi, dit-il en lui avançant une chaise d'un ample geste aussi galant que théâtral.

— Merci, dit-elle, un grand sourire aux lèvres.

— Que veux-tu boire ? demanda Joe, ses yeux étincelant à la lueur des bougies.

— Un Cosmopolitan, merci.

Elle n'arrivait pas à les quitter des yeux. C'était long, six mois, assez long, en tout cas, pour qu'elle ait pu oublier que le profil de Walker frôlait la perfection ou que la mèche qui tombait sur les yeux de Joe lui donnait un charme fou. Et aussi, mais elle se le rappelait très bien à présent, à quel point ils la faisaient se sentir sexy et féminine.

Sa poitrine se gonfla d'excitation. Elle n'arrivait pas encore à croire que Joe et Walker se trouvaient vraiment *là*. A Las Vegas, et tout près d'elle ! Etait-elle prête, pour de bon, à aller jusqu'au bout ?

Oui. Chloe sentit le bout de ses seins se dresser sous son chemisier tandis que chaque cellule de son corps semblait acquiescer avec ferveur à sa question muette.

Oui ! Sans savoir pourquoi, elle aurait voulu crier le mot sur les toits. Elle aurait voulu attirer l'attention de la foule d'inconnus qui l'entouraient pour leur annoncer que ces deux hommes avaient traversé le pays rien que pour elle, Chloe O'Malley, la fille qui n'avait pas vu un homme de près depuis plus d'un an ! Et elle tenait à ce qu'on sache qu'elle avait l'intention de finir la nuit avec ces deux magnifiques spécimens mâles, et que rien ne pourrait la faire changer d'avis.

Mais au lieu de cela, elle prit une longue inspiration pour se calmer et se mit à lisser sa nouvelle robe noire sur ses cuisses. Du calme, ce n'était pas la peine de déborder avant l'heure.

Walker la regarda, un demi-sourire aux lèvres.

— Ça va, Chloe ? As-tu déjà dîné ?

— Oui, j'ai mangé un bout tout à l'heure. Un truc sur le pouce, des restes… Je n'ai pas faim. Pas pour l'instant. Merci.

Elle ferma les yeux un instant. Tout à l'heure elle bégayait, et maintenant, elle se mettait à babiller comme une gamine ?

Elle discutait en ligne avec Walker et Joe à peu près chaque jour. Ils savaient sur elle des détails que personne d'autre ne connaissait. Sauf que les avoir là, en chair et en os, les yeux rivés sur elle, était une autre paire de manches. La sécurité que donne le bouclier de l'écran avait disparu. Le risque était désormais réel.

Ce n'était pas ce que tu voulais ? Prendre des risques ?

— Votre Cosmo, annonça une serveuse à peine couverte par un deux-pièces en plumes en posant sur la table un cocktail taille Las Vegas.

— Merci.

Pour se donner une contenance, Chloe en sirota aussitôt une gorgée. Trop sucré, ne put-elle s'empêcher de noter en professionnelle exercée, mais la fraîcheur du cocktail était la bienvenue, tout autant que le petit effet désinhibant de la vodka qui devrait l'aider à se détendre.

Lorsqu'elle leva les yeux de son verre, elle retrouva les feux du double regard vert et bleu braqués sur elle. Mon Dieu, se dit-elle en soupirant de façon imperceptible, il allait lui falloir beaucoup plus d'un verre pour calmer son anxiété. En même temps, découvrit-elle avec étonnement, une part d'elle-même était en train de s'amuser comme une petite folle avec ce rush d'adrénaline qui se déversait dans ses artères.

— Quoi ? demanda-t-elle aux deux garçons, en levant le menton d'un geste mutin de défi.

— Elle est nerveuse, commenta Walker à l'intention de Joe.

— Oui, corrobora Joe.

Elle voulut balayer ces propos d'un geste de la main, mais, à son grand dam, elle ne réussit qu'à leur révéler à quel point ses doigts tremblaient.

Walker prit la main qui venait de la trahir entre ses doigts chauds et fermes.

— Chloe, ce n'est que nous.

Que nous… Ces deux petits mots se mirent à trotter dans sa tête tandis qu'elle s'efforçait d'éviter le regard si intense de ces hommes qui la fixaient comme si elle était le dessert le plus alléchant de la carte et eux, un couple de gamins gourmands privés de friandises depuis une semaine. *Que nous :* ils en avaient de bonnes ! Et elle partit d'un grand éclat de rire.

— Oui, que nous, répéta Joe avec un sourire dévastateur. Juste deux mecs qui pensent que tu es la femme la plus intelligente, la plus brillante et la plus sexy de la planète.

D'une autre bouche, ce même compliment lui aurait semblé faux, flatteur et même niais. Mais elle savait qu'il le pensait réellement. Car Joe, autant que Walker, était un homme franc et sincère. Ni l'un ni l'autre ne faisait jamais semblant.

Lorsqu'elle les avait rencontrés à la convention de Dallas, personne n'aurait pu deviner qu'ils formaient un couple. Elle s'en était aperçue peu à peu, en notant certains gestes infimes, comme la façon dont Joe regardait Walker lorsque celui-ci lui faisait goûter une sauce concoctée par ses soins. Ou la façon dont ils se tenaient un tout petit peu trop près l'un de l'autre dans l'ascenseur. Quand Joe et Walker étaient réunis, une sorte de légère tension sexuelle emplissait l'atmosphère, mais Chloe n'avait pourtant pas réussi à se figurer de façon précise la nature de leur relation. Par exemple, Joe avait une fois déclaré qu'il ne croyait pas à la monogamie, et Walker n'avait pas relevé.

— Je confirme, déclara Walker. Tu l'es.

Perplexe, Chloe se tourna vers lui et plongea dans ses yeux bleu profond. Aussitôt, elle se sentit perdre pied, tandis qu'un désir infini la transperçait. Quelque chose de très intime passait par ce regard, pensa-t-elle, heureuse d'être assise pour ne pas devoir contrôler ses jambes désormais incapables de la porter.

En face d'elle, Walker la dévisageait sans ciller.

— Que veux-tu dire ? céda-t-elle enfin. Je suis quoi ?

— Superbe.

Elle sentit le rouge lui monter aux joues, mais, décidée à continuer ce petit jeu, elle sourit et lança un clin d'œil à Joe.

— Vous n'êtes pas mal non plus, les gars.

Ce n'était pas si difficile, songea-t-elle avec un sourire. Et elle n'était pas si mauvaise à ce petit jeu de drague, après tout. D'autant que cela faisait des mois qu'ils le pratiquaient en ligne. Sauf que ce soir, ils se trouvaient tous les trois autour de la même table.

C'était parfait. Elle avait devant elle toute une nuit de découverte sexuelle pour aller au bout de cette envie qui lui ôtait le sommeil. Ensuite, ces deux hommes magnifiques rentreraient chez eux, et elle reprendrait le cours de sa vie. Et si tout se passait bien, peut-être qu'ils recommenceraient un jour, car, après tout, elle les reverrait dans six mois, lors de la convention annuelle. Et il était impensable que cela ne se passe pas bien, songea-t-elle. Pas avec ces deux-là.

Chloe reprit une gorgée de son cocktail sirupeux et sourit pour elle-même. De fait, la situation était idéale. Elle avait appris à ses dépens qu'il n'y avait pas de place, dans son emploi du temps exigeant, pour une relation suivie, traditionnelle. En revanche, un rendez-vous coquin et torride deux fois par an lui convenait à la perfection.

L'excitation gonfla dans sa poitrine, chaude et aérienne comme le plus délicat des macarons. Elle regarda de nouveau vers Walker, qui semblait ne pas l'avoir quittée des yeux, et elle sentit son cœur battre encore un peu plus vite. Joe s'était-il aperçu du trouble que Walker provoquait en elle ? se demanda-t-elle alors. Forcément, c'était tellement évident… Mais allait-il en prendre ombrage ?

Joe vida sa bouteille de bière et la posa sur la table.

— La soirée ne fait que commencer. Quels sont nos plans pour la nuit ?

Une scène tirée de sa fantaisie de la veille s'imposa soudain à l'esprit de Chloe. Elle s'imagina nue dans un lit, allongée sur le côté, prise entre ces deux corps solides, doux et si chauds… Elle serra les cuisses pour contenir l'envie inassouvie et fébrile qui se concentrait tout à coup sur son sexe.

— Chloe ?

Elle sursauta.

— Oh, pardon. Tu disais ? dit-elle, trempant ses lèvres dans son verre pour se donner une contenance.

— Cette boîte de nuit juste à côté, elle m'a fait envie. C'est toi l'autochtone, donc dis-nous, ça vaut le détour ?

— Le Chat Noir ? Oui, c'est pas mal, j'aime bien... Mais qu'est-ce qui ne va pas ?

Walker secouait la tête à son intention, en même temps qu'il mimait avec son doigt le geste d'un couteau qui tranche une gorge.

— Il déteste danser, expliqua Joe en riant. Mais nous sommes deux contre un, n'est-ce pas, ma belle ?

— Tout à fait, deux contre un.

Et sans savoir pourquoi, l'évocation de cette équation précise lui donna la chair de poule.

— Me ferez-vous l'honneur, mademoiselle ? demanda Joe en se levant et en lui tendant galamment une main.

Elle jeta une œillade furtive vers Walker, sans parvenir à déchiffrer son expression. Aussi accepta-t-elle la main que Joe lui offrait.

— Allons-y donc.

C'était un plaisir, de temps en temps, de jouir des privilèges de sa petite célébrité locale, pensa Chloe lorsque le vigile l'accueillit avec un grand sourire et l'invita à entrer directement avec ses deux amis, sans un regard pour la longue queue de touristes qui attendaient pour pénétrer au Chat Noir.

Le rythme entêtant d'un tube techno les enveloppa dès le seuil. Escortée des deux hommes, elle commença à descendre le grand escalier, les tenant chacun d'une main.

— C'est une idée géniale, Joe, s'écria-t-elle en le regardant. Je n'ai pas dansé depuis des siècles !

Joe se contenta de sourire tandis que Walker grommelait

quelque chose d'inintelligible. Ils s'installèrent à une table qui surplombait la piste.

— Il n'y a pas encore trop de monde parce qu'il n'est que 11 heures, expliqua Chloe. La nuit ne fait que commencer, à Vegas.

Walker attira l'attention d'une serveuse et commanda quelques cocktails, et Chloe en profita pour admirer son profil de dieu grec éclairé par les couleurs changeantes des spots. Quelques verres, quelques danses et ensuite… ensuite, tout était possible, songea-t-elle en remuant sur sa chaise au rythme de la musique. Une chose, en revanche, était certaine : elle était prête à se laisser emporter loin, très loin. Chaque minute qu'elle passait en compagnie de Joe et Walker exacerbait le désir qui courait dans ses veines, et des bribes de fantasmes lui revenaient à l'esprit, la tenant en haleine sur le fil de la passion comme un amant surdoué.

Joe s'empara de sa main avec force, et elle tressaillit.

— On danse ? proposa-t-il, avec le sourire entendu de celui qui devine les pensées.

— Et toi ? Tu viens ? demanda-t-elle en s'adressant à Walker.

— Je préfère vous regarder.

Un nouveau frisson la parcourut. Même une phrase si banale offrait soudain un monde de possibilités…

Un peu de tenue, voyons ! se tança-t-elle.

— En es-tu sûr ?

— Mais oui. Allez-y, amusez-vous !

C'était un test, un défi, elle pouvait le lire dans son regard perçant. Eh bien, elle était prête à le relever. Plus que prête.

Joe l'attira vers la piste, quelques marches en contrebas, mais sans trop s'éloigner de leur table, et tandis qu'ils dansaient, elle surprit un hochement de tête que Walker adressait à Joe. Intéressant… Mais elle n'avait pas la tête à essayer de déceler les subtilités de la relation entre les deux garçons, pas tant que

Joe la menait dans une danse endiablée, dans une attitude un rien dominante qui la rendait toute chose.

Les rythmes répétitifs de la musique revenaient, encore et encore, à une cadence hypnotique, la libérant du carcan de la pensée à chaque vibration des basses. Elle n'était plus que sensation, abandonnée entre les bras de Joe, ces bras sensuels et accueillants qui la guidaient et l'entrainaient avec douceur et fermeté. A aucun moment, il ne l'avait lâchée, s'arrangeant pour que le lien sensuel qui les unissait ne se rompe jamais. Et quand une grande liane rousse vint se trémousser tout près de lui, il lui tourna ostensiblement le dos et plaqua Chloe encore plus étroitement contre lui.

— Tu es la plus jolie fille de la soirée, murmura-t-il au creux de son oreille. Tu le sais, n'est-ce pas, que tu le sais ?

Elle sourit, les lèvres collées à son cou, profitant du moment sans retenue.

Chaque jour, elle devait se montrer forte. Dans son métier, et de surcroît dans son poste de chef, elle n'avait pas droit à une seconde de faiblesse. Elle n'avait d'autre choix que diriger son équipe d'une main de fer, et tant pis pour le gant de velours : ce n'était pas pratique, en cuisine.

Chaque jour, elle nouait ses longs cheveux bruns en un chignon serré qu'elle couvrait de sa toque, elle revêtait sa terne tenue réglementaire et chaussait ses sabots de sécurité. Pas très sexy, non. Mais ainsi, c'était plus simple pour elle de se mettre dans la peau de son personnage, un personnage que lui rendait plus facile le fait d'oublier qu'elle était, encore et malgré tout cela, une femme.

A cet instant, Chloe songea aux stilettos vernis aux talons vertigineux sur lesquels elle était juchée. Elle les avait achetés exprès pour cette soirée, et bien que les porter soit une véritable torture, ils lui donnaient l'impression d'être une femme fatale, chic et sexy.

Joe s'écarta légèrement d'elle pour la fixer, une expression terriblement sérieuse dans les yeux.

— Je ne mens pas. Tu es sidérante. Walker et moi en avons parlé souvent. De toi. En long et en large et, mmm, même en travers.

Elle jeta un œil par-dessus l'épaule de Joe. Depuis sa table, Walker ne la quittait pas des yeux. Ne *les* quittait pas des yeux. De nouveau, elle sentit ses jambes flancher en apercevant l'étincelle de désir qui brûlait dans ses prunelles.

Joe pressa sa main contre la cambrure de son dos et l'attira encore vers lui, épousant avec sa chaleur les lignes de son corps. Elle ferma les yeux et inspira profondément.

Voilà, ils y étaient. Le moment qu'elle avait tant attendu était arrivé. La paume chaude de Joe sur sa robe était la pierre d'achoppement où se joignaient fantasme et réalité.

Et lorsqu'elle sentit ses lèvres sensuelles frôler les siennes, elle s'y abandonna, ouvrant la bouche pour lui offrir sa langue. Elle tremblait comme une feuille, mais Joe la tenait fermement dans ses bras. Ils s'embrassèrent pendant des minutes ou des heures, elle n'aurait pas su dire. En revanche, elle savait que Walker les observait.

Walker.

Imaginer ses yeux fixés sur leurs bouches attisa follement son désir. Mon Dieu, c'était fou. Qu'avait-il donc dans le regard qui l'excitait encore plus que le baiser de Joe ?

Joe. Il la poussait doucement sans cesser de l'embrasser, jusqu'à l'acculer contre le mur à mi-hauteur surmonté d'une rambarde qui séparait le bar de la piste de danse. Walker se trouvait derrière eux, tout près. Chloe frissonna. Et Joe qui plongeait encore plus profondément dans sa bouche et faisait glisser ses mains le long de son buste, jusqu'à agripper ses hanches avec passion.

Et heureusement, car elle se sentit défaillir lorsque la main de Walker se posa sur ses cheveux, qu'il caressa tendrement quelques instants avant de les empoigner soudain avec une violence inattendue. Elle cessa de respirer, submergée par la sensation intense que ce geste avait suscitée au plus profond de son être.

Puis Joe délaissa ses lèvres pour promener les siennes sur son cou et le bord de son décolleté, et elle gémit doucement. C'était divin. Elle sentait son pouls battre en cadence avec la musique, excitée par le plaisir que Joe prenait à goûter sa peau.

Walker lui fit ployer la tête en arrière, la tenant toujours par la bride soyeuse de ses cheveux. L'éclairage de la salle était ténu et diffus, mais pas au point qu'on ne puisse pas distinguer leur petit jeu dans la pénombre. N'importe qui pourrait la voir fondre sous les caresses de ces deux hommes, songea-t-elle, quiconque regarderait ne manquerait d'observer qu'elle avait écarté les jambes pour que Joe puisse s'y glisser, et le premier venu remarquerait sa poitrine agitée par son souffle chaotique.

Le temps d'une seconde, Chloe craignit qu'une de ses connaissances ne se trouve dans la boîte de nuit. Le temps d'une seconde, elle eut peur qu'on ne la surprenne dans cette situation compromettante, mais, très vite, elle se débarrassa de ses scrupules. Car dans cette pénombre, si n'importe qui pouvait repérer l'étrange couple qu'ils formaient tous les trois, il était pratiquement impossible qu'on la reconnaisse dans la peau de cette femme en robe moulante et cheveux emmêlés.

D'ailleurs, c'était affolant comme l'idée des gens en train de la regarder l'encourageait à aller plus loin. Paupières mi-closes, elle imagina le regard des inconnus, excités par ce qu'ils voyaient. Deux hommes qui aguichaient à loisir une femme exceptionnellement chanceuse.

Elle lâcha un gémissement en sentant l'autre main de Walker enrober sa gorge en un geste possessif.

— Chloe ? demanda-t-il en un murmure au creux de son oreille.

— Oui…, susurra-t-elle, tremblante.

— C’est ce que tu veux ? Tu le veux vraiment ?

Dernière chance avant le point de non-retour.

Si elle comptait changer d’avis, c’était maintenant.

Ou jamais.

Chloe prit une longue inspiration et expira lentement.

Joe la dévisageait de ses yeux graves et sombres, pleins de désirs, et les mains de Walker la tenaient toujours prisonnière.

— Oui, je le veux. Je vous veux. Tous les deux.

De tout mon corps.

Chapitre 2

Les dés étaient jetés, songea Chloe tandis que Walker l'entraînait vers la sortie du club en la tenant par la main, et que Joe, tout près d'elle, les suivait.

Malgré son envie intense d'aller jusqu'au bout de son fantasme, elle était en proie à une nervosité croissante, foulant d'un pas peu assuré l'épais tapis rouge qui couvrait le hall de l'hôtel-casino.

Qui pouvait deviner ce qui allait vraiment se passer lorsqu'ils se retrouveraient enfin seuls tous les trois ? Et si cette nuit de folie gâchait sa merveilleuse amitié avec ces deux hommes ? Mais de toute façon, conclut-elle, le désir avait grandi en elle au point qu'il lui était impossible d'y renoncer.

Et puis, au diable toutes les craintes ! Elle aurait assez de temps pour penser aux conséquences.

Au moment où ils arrivaient devant les ascenseurs, les portes d'une cabine vide s'ouvrirent devant eux et ils s'y engouffrèrent. Walker pressa le bouton du 35e étage, et les portes commencèrent à se fermer. Ils allaient se retrouver seuls tous les trois, seuls…

Sauf qu'une main empêcha la fermeture automatique, et un groupe de retraités en goguette se joignit à eux. Chloe soupira, agacée par la petite bande qui lui volait ce moment d'intimité tant attendu. Heureusement, ses cavaliers n'hésitèrent pas à presser leurs corps brûlants contre elle.

Qui tremblait de la tête aux pieds.

Oh, comme elle aurait voulu pouvoir accélérer le temps, et être déjà arrivée à destination, mais l'ascenseur semblait prendre un malin plaisir à faire une halte à chaque étage, et elle avait l'impression que les touristes les observaient comme des bêtes curieuses.

Et de fait, songea-t-elle en imaginant le spectacle qu'ils devaient renvoyer tous les trois, ils devaient sortir de l'ordinaire. Elle se tenait entre Joe et Walker, adossée au fond de la cabine tapissée de miroirs, sentant son sexe gonflé d'envies inavouables, ses seins dressés sous la dentelle aérienne de son soutien-gorge. Lorsqu'elle sentit la main de Walker caresser l'intérieur de son poignet, elle sursauta.

— Tu vas bien ? demanda-t-il, en se penchant vers elle avec un sourire.

— Ou… oui, très bien.

Sa peau brûlait au contact des doigts de Walker qui encerclaient son bras. Avec délicatesse, il l'obligea à passer son bras derrière son dos. Dans son trouble, elle ne s'était pas aperçue que Joe avait fait de même de l'autre côté, et ne le découvrit qu'au moment où Walker emprisonna ses poignets dans sa main puissante.

Quel doux piège ! La poigne de Walker était aussi serrée que des menottes de policier. Elle regarda Joe, qui lui décocha une irrésistible moue de mauvais garçon. Elle était à leur merci, et elle ne pouvait même pas protester à cause des deux vieilles dames qui discutaient de la qualité du buffet du petit déjeuner.

A l'étage suivant, l'une des inconnues quitta l'ascenseur. Celle qui restait se tourna vers eux et leur offrit un sourire cordial. Chloe tenta de recomposer son visage pour lui retourner la politesse, mais en voyant la femme baisser la tête d'un air alarmé, elle comprit que son visage devait trahir son trouble bien plus qu'elle ne l'avait imaginé…

Dès que les portes de l'ascenseur se rouvrirent, la dame

quitta la cabine à une allure surprenante, et ils se retrouvèrent seuls tous les trois.

— Enfin, dit Joe en se tournant vers Chloe.

Il caressa d'un doigt baladeur le décolleté de sa robe avant d'effleurer la pointe de son sein.

— Tu es à nous, n'est-ce pas, Chloe ? Notre super nana, super sexy.

Elle contint son souffle car, dans son dos, Walker avait augmenté la pression autour de ses poignets, l'obligeant à tendre ses bras davantage. Il se pencha sur elle et déposa un baiser doux sur son épaule.

— Si sexy, murmura-t-il, son haleine tiède et caressante contre sa peau.

C'était encore plus grisant que dans ses rêves. Chloe se mordit la lèvre pour ne pas gémir lorsque Joe roula son mamelon entre ses doigts avec une pression savamment dosée.

— Aussi adorable que nous l'avions imaginé.

Walker fit glisser la main le long de sa cuisse, puis l'insinua sous sa jupe et remonta lentement sur sa peau nue, jusqu'à atteindre la dentelle de sa culotte.

— Mmm, susurra-t-il. De quelle couleur ?

— Rouge, souffla-t-elle.

— Ma couleur préférée.

Sa main se faufila sous la dentelle et… Enfin ! Enfin ses doigts, si adroits, si chauds, étaient en train de la caresser. Elle se sentait si excitée que c'en était embarrassant. Ce qui ne l'empêcha pas d'écarter les cuisses pour encourager ses avances, et elle dut se mordre encore les lèvres pour ne pas céder à la tentation de lui demander d'entrer en elle. Pas encore…

L'ascenseur s'arrêta. Walker retira la main de sous sa jupe, mais garda ses poignets prisonniers. D'un geste dominant, il la fit avancer dans le couloir, le bruit de leurs pas assourdi par l'épaisse moquette. Elle se laissa conduire vers la chambre, follement émoustillée par le frôlement sur son sexe de la dentelle de sa culotte que Walker n'avait pas pris la peine de replacer.

Ce casino était immense et le couloir semblait ne jamais finir. Le temps qu'ils arrivent à la chambre 3525, elle était excitée au-delà des mots et… prête à tout. Elle aurait voulu jouir sur-le-champ, ici même, dans le couloir. Walker n'avait qu'à la retourner, l'adosser au mur et frotter son corps au sien. Même avec la barrière de son jean, Chloe était certaine que le simple fait de sentir son érection contre son sexe la ferait décoller en quelques secondes.

Mais Joe venait d'ouvrir la porte de la chambre et ils entrèrent. Dès qu'il eut refermé derrière lui, Walker libéra les mains de Chloe, et, la plaquant contre le bois massif, il se jeta sur elle sans retenue.

Il dévorait sa bouche avec ardeur, et elle enlaça son cou pour le pousser à approfondir son baiser. Le monde autour lui semblait avoir disparu sous l'effet des caresses de Walker, dont les mains parcouraient fébrilement son corps. Elle se pressa contre lui, sentant son sexe durci comme un roc sur son ventre, à seulement quelques centimètres de l'endroit précis où elle mourait d'envie de l'accueillir…

— N'est-elle pas extraordinaire, notre Chloe ?

Walker s'écarta d'elle avec une inspiration profonde pour apaiser son souffle saccadé. Pendant ces quelques secondes, elle se rendit compte qu'elle avait complètement oublié l'existence de Joe, et, en regardant Walker se passer les mains dans les cheveux, elle se demanda s'il avait lui aussi oublié Joe.

Non.

Quelle idée.

Impossible.

— Il fallait absolument que je l'embrasse, expliqua Walker, en pressant sa main dans la sienne.

— Je vois très bien ce que tu ressens, répondit Joe. Elle est aussi délicieuse que nous l'avions imaginé.

Incroyable mais vrai, s'émerveilla Chloe. Elle adorait qu'ils parlent d'elle dans ces termes, comme si elle leur appartenait. Après tous les efforts qu'elle avait faits pour s'imposer dans le milieu le plus machiste qui soit, se laisser traiter en femme-objet frôlait l'aberration. Et pourtant, à ce moment précis, c'était exactement ce dont elle avait envie. Oh, et puis assez de considérations existentielles, pensa-t-elle en suivant Walker vers l'intérieur de la chambre.

Ou de la suite plutôt, corrigea-t-elle en regardant autour d'elle. Le lit king size, près d'eux, était flanqué de tables de chevet et d'un valet de nuit, mais il y avait en plus, de l'autre côté d'une porte à double battant, un espace salon où trônait un grand canapé en cuir, accompagné d'une table basse. Surprise, elle remarqua l'absence de valises ou de vêtements indiquant que quelqu'un séjournait dans la chambre. Ce qui voulait dire… Ce qui voulait dire, devina-t-elle, que Walker et Joe avaient loué la chambre juste pour la retrouver. Cette idée aurait pu être sordide, mais ce n'était pas le cas, pas du tout, songea-t-elle, émoustillée. C'était tout simplement excitant. Très excitant.

Mais comment devait-elle y répondre, maintenant ? se demanda-t-elle, soudain prise au dépourvu par un accès de timidité. Elle regarda l'immense lit, qui semblait l'appeler avec son épais duvet en brocart. Devait-elle s'y allonger ? Devait-elle commencer par se déshabiller ? Ou attendre que l'un des garçons l'embrasse ? Qu'ils s'embrassent entre eux ?

D'ailleurs, allaient-ils s'embrasser ? Cela pourrait être érotique, songea-t-elle, s'apercevant qu'elle ne s'était pas posé la question auparavant. Dans ses fantasmes, c'était elle le centre d'attention, la star du show. Elle n'avait pas pensé une seconde à eux deux et à ce qu'ils pourraient vouloir faire l'un avec l'autre.

A cet instant, Joe l'attira contre lui et la tira de ses réflexions. Il la poussa doucement à reculons vers le lit, sans cesser de l'embrasser, jusqu'à la renverser sur le matelas. Chloe accueillit le poids massif de son corps avec délice.

Sa façon d'embrasser, songea-t-elle, était très différente de celle de Walker. Ses baisers étaient plus doux et moins exigeants. Langoureux, sensuels. Deux bouches bien distinctes, deux hommes bien distincts… Et ce fut ce contraste qui lui fit soudain mesurer à plein la réalité de ce qu'elle était sur le point de vivre.

Elle entrouvrit les yeux pour lancer un regard de biais vers Walker. Installé dans le fauteuil bleu, il les observait avec une attention dont l'intensité la surprit une fois de plus. Elle sentait son regard perçant chevillé à son corps que les mains de Joe découvraient, à ses cuisses dénudées et son sexe à peine dissimulé par la minuscule culotte rouge.

Son pouls martelait à un rythme impatient contre ses tempes pendant que Joe retroussait sa robe au-dessus de sa taille et de sa poitrine. Elle aurait dû ressentir de la gêne, songea-t-elle, étonnée. C'était quand même étrange qu'elle se laisse déshabiller par Joe avec autant de naturel. Aussi sidérant que de ne pas sentir le moindre embarras alors qu'un homme mordillait le bout de ses seins tandis qu'un autre assistait à la scène. Et pourtant, s'aperçut-elle alors que Joe finissait de lui ôter sa robe, jamais elle ne s'était sentie aussi à l'aise avec un homme. Deux hommes, en fait, *deux*. Elle était à l'aise avec deux hommes. Et surtout, très, très excitée. Elle les voulait, tous les deux, et elle voulait qu'ils la comblent, l'un et l'autre, en même temps.

— Enlève ton soutien-gorge, demanda Walker en se déchaussant d'un coup de pied, toujours affalé dans le fauteuil.

Ses mains tremblaient lorsqu'elle obtempéra. Etendue sur le couvre-lit en brocart, à la lumière tamisée des lampes, habillée seulement de sa culotte rouge et de ses escarpins aguicheurs, elle se sentit belle. Belle d'une beauté éblouissante.

Allongé sur elle, Joe couvrit son buste de baisers lutins et légers, et descendit vers son ventre, qu'il continua à embrasser en même temps qu'il faisait glisser sa culotte le long de ses jambes, jusqu'à la faire tomber au sol.

Transie d'excitation, elle tourna la tête vers Walker tandis que Joe écartait doucement ses cuisses avec ses deux mains.

— Magnifique, murmura Joe.

Elle tressaillit en sentant ses doigts frôler les plis humides de son sexe qu'il commença à explorer avec délicatesse. D'instinct, elle aurait fermé les yeux, mais elle savait que Walker ne lui permettrait pas de se dérober à son regard.

Joe continuait à l'aguicher, prenant un malin plaisir à la torturer avec ses mains de magicien. Dépassée par les décharges de plaisir qu'il lui procurait, elle ondulait des hanches, s'arc-boutant contre le matelas pour mieux s'offrir à ses caresses, sa respiration ébranlée comme un bateau ivre. Chaque muscle de son corps tendu comme un arc, elle se concentra sur le parcours des doigts qui glissaient, millimètre par millimètre, vers l'orée de son sexe. Elle étouffa un gémissement d'impatience. Elle ne voulait qu'une chose, et c'était le sentir à l'intérieur de son corps.

Elle crevait d'envie de se faire caresser par Joe sous le regard enflammé de Walker. Maintenant. Elle avait envie de l'en supplier, mais il fallait qu'elle garde quelque chose pour plus tard. Ce n'était pas encore le moment...

Mais elle aurait pu. Oh, que oui.

Sans façons.

Car elle était en train de perdre le contrôle de son propre corps, et les yeux incandescents de Walker brûlaient sa peau comme une coulée de lave. Les sensations dépassaient ce que son corps pouvait supporter, elle ne les maîtrisait plus, elle n'était plus que l'esclave de ses sens. Lorsque Joe effleura son clitoris du bout de son doigt, elle s'agrippa au couvre-lit, sans pouvoir contenir un sursaut de ses jambes. Sans voix, elle articula une requête silencieuse, le suppliant de poser ses lèvres *là*.

Il ne le fit pas, se contentant de rouler avec force le petit bouton si sensible entre ses doigts. Dieu, que c'était bon ! Fébrile, elle porta ses mains à sa poitrine et commença à se caresser les seins.

Le regard de Walker se troubla.

Joe, enfin, lui donna ce qu'elle avait tant attendu. Il plongea entre ses cuisses et posa les lèvres sur son clitoris, léchant, suçant et mordillant jusqu'à ce qu'elle perde toute notion de la réalité. Elle ne put plus garder les yeux ouverts.

Elle allait jouir, elle était sur le point de jouir tandis que Walker la regardait, elle le savait. Et elle en mourait d'envie. Repliant ses jambes, elle s'abandonna à l'orgasme avec un râle animal, parcourue par d'intenses ondes de plaisir.

Joe avait continué à l'embrasser jusqu'à ce que sa respiration commence à s'apaiser, et lorsqu'elle rouvrit les yeux, elle découvrit le double regard vert et bleu fixé sur elle. Tout à l'heure, elle avait été flattée par le désir que leurs yeux révélaient, mais ce n'était rien comparé à l'expression qui se peignait à cet instant sur leur visage. Là, ils étaient prêts à la dévorer. Elle pouvait les comprendre. Les spasmes de l'orgasme la secouaient encore, et pourtant, sa soif de passion n'était pas encore étanchée. Elle en voulait davantage.

— Joe ? appela Walker.

— Oui ?

— Nous n'avons pas encore fini avec elle.

Chloe sentit un frisson d'un plaisir d'une autre espèce courir le long de son dos.

Oh, oui. Parlez de moi comme si j'étais votre chose, car aujourd'hui, je le suis.

Joe, toujours accoudé entre ses cuisses, lui lança un regard en contre-plongée.

— Non. Nous n'avons pas fini avec toi. Mais alors pas du tout.

Il se leva, face à Walker, et elle sentit son cœur battre la chamade en les regardant se dévisager.

C'était à peine si elle arrivait à respirer. Walker. Chaque fibre de son être exsudait contrôle et domination. Ses poings serrés, son regard d'acier, la façon dont il emplissait l'espace.

Tremblante, elle vit Walker s'avancer vers Joe. Il tendit son bras et l'attira vers lui par le cou, se penchant pour l'embrasser.

Ils *s'embrassaient*. Chloe sentit son sexe palpiter, sa respiration devenir lourde. Une vague d'envie furieuse l'envahit, elle ne voulait pas rester en dehors de l'action une seconde de plus.

Pourtant, elle était incapable d'émettre le moindre mot. Jamais elle n'avait été le témoin d'un baiser semblable. Tendre et brutal en même temps, aussi puissant que beau. Posant sa main à plat sur son ventre, elle soupesa l'idée d'aller plus loin.

Partager ce moment d'intimité profonde entre les deux hommes l'excitait au plus haut point et ranimait la flamme de son désir avec une force inouïe. Elle avait une envie folle de se caresser, parce qu'elle comprenait parfaitement ce que Joe ressentait ; elle savait exactement pourquoi on tombait sous l'emprise de la domination de Walker; elle avait déjà expérimenté le trouble affolant de fondre à son contact.

Puis Walker s'écarta de Joe, et elle vit que celui-ci semblait dans un état second lorsqu'il se laissa tomber dans le fauteuil que Walker occupait encore quelques minutes plus tôt. A sa place, songea-t-elle, elle aurait été tout aussi troublée… Il ôta alors son T-shirt blanc, et, à ce spectacle, elle sentit tout son être s'enflammer. Elle ne pouvait pas cesser de le regarder. Il était trop beau.

— Chloe ?

Toujours allongée sur le lit, elle regarda Walker, qui avait à son tour enlevé sa chemise. Joe était un bel homme, sans aucun doute, mais Walker… Walker lui coupait le souffle. Si viril, avec des épaules interminables et des pectoraux moulés dans l'acier. Il était taillé comme le sont les surfeurs, longiligne et leste.

Et, avant tout, il était Walker. Ce simple fait redoublait les battements de son cœur.

Ebahie, elle contempla le jeu de ses muscles sous sa peau dorée pendant qu'il avançait vers elle.

— Viens ici, Chloe.

Sans cesser de trembler, elle se releva, se demandant si c'était ainsi que les choses allaient se passer, s'ils allaient venir en elle l'un après l'autre. Peu lui importait. Ce qu'elle voulait, c'était qu'ils se servent d'elle et qu'ils tirent tout le plaisir possible de son corps. Peu lui importait la façon dont ils allaient la prendre, ce qu'elle voulait, c'était être *prise*.

Walker la retourna et la fit retomber sur le lit à plat ventre, la faisant ensuite glisser jusqu'à ce que ses genoux frôlent le sol. Elle sentit sa main qui courait sur son dos, sur le creux de ses reins, sur ses fesses.

— Tu es si diablement belle !

Ses mots autant que ses caresses la rendaient folle. Belle, il la trouvait belle… Et elle savait que Walker le pensait, et encore plus important, désormais, elle le croyait.

Elle l'entendit ôter son jean, puis vint ensuite le bruit d'un emballage qu'on déchire. Un préservatif. Elle cambra ses hanches pour hisser un peu plus ses fesses, montrant ainsi son impatience de le sentir en elle. Et tant pis pour la retenue. Elle crevait d'envie qu'il la prenne. Sous le regard de Joe, cette fois.

Un autre bruit, cette fois-ci d'un fluide qui coule. Elle tourna la tête et regarda Joe, qui avait aussi ôté son pantalon. Il caressait son sexe avec lenteur, prenant son temps. Et il fixait Walker, les mains de Walker.

Elle les sentait à présent sur elle, ces mains. Les doigts de Walker, chauds et enduits de lubrifiant, se faufilèrent entre ses fesses. Ses jambes commencèrent à trembler, son pouls s'affola.

— C'est ce que tu voulais, ma Chloe ? Tu le veux toujours ?

Incapable de dire un mot, elle hocha la tête.

Les cercles qu'il traçait avec ses doigts devenaient de plus en plus précis, plus proches de l'entrée la plus privée de son corps.

— Dis-le. A moi. A nous.

— Oui, souffla-t-elle. Je vous veux tous les deux.

— Que veux-tu de nous ?

Elle avait tellement envie que son sexe en était presque douloureux.

— Je veux que vous me preniez… tous les deux.

Les mots flottèrent, vibrants, dans la pièce.

Chloe fixa Joe, la façon dont sa main montait et descendait le long de son sexe gonflé. Ses pupilles dilatées avaient fait disparaître le vert de ses iris. C'était une vision étourdissante qui lui arracha un gémissement éperdu.

— Bien, murmura Walker.

Et ses doigts en elle laissèrent la place à son sexe puissant, dur. Palpitant.

— Tu aimes ?

Elle serra la couverture dans ses poings.

— Oui.

— Brave fille.

Il empoigna ses hanches d'une main tendre et ferme à la fois et fendit de nouveau sa chair.

Une vague d'extase érotique se répandit en elle quand elle le sentit entrer plus loin dans son corps. C'était une sensation étrange et nouvelle, mais merveilleuse. Encore mieux que dans ses fantasmes. Elle cria et gémit, savourant les sensations inédites que le sexe de Walker déclenchait au plus profond d'elle.

A travers ses cils, elle pouvait encore voir Joe. Sa main bougeait si vite sur son sexe qu'elle semblait floue, et la cadence qu'il imprimait montait et montait. Leurs yeux se croisèrent et elle ressentit le besoin urgent de jouir, mue par le désir impérieux de partager ce moment d'intimité pleinement. Joe avait beau se trouver à deux mètres du lit, il était sous l'emprise de Walker autant qu'elle.

Les doigts de ce dernier cherchèrent son clitoris et elle gémit. Il lui prodigua des caresses diaboliques, jusqu'à ce qu'elle ne puisse plus se contenir, et lui cria, le supplia de la prendre encore et encore.

Plus loin et plus fort.

Toutes ses inhibitions avaient disparu. Elle pouvait se laisser aller, car Walker prenait soin de tout. Et ce qu'elle voulait maintenant, c'était qu'il la possède complètement, jusqu'aux replis les plus secrets de son corps.

— S'il te plaît, supplia-t-elle.

Elle n'avait jamais prié quiconque de la sorte, jamais elle n'avait pu s'oublier à ce point avec aucun homme. Walker avait un contrôle absolu sur elle. Et sur Joe.

— Tiens bon, dit-il en refermant les mains sur sa taille.

Comme si elle ne pesait pas plus qu'une plume, Walker la souleva du matelas sans aucun effort, et la tint contre lui, le dos plaqué contre son torse puissant. Sans la relâcher un instant, il pivota lestement. Il passa d'abord un bras sous l'une des cuisses de Chloe jusqu'à agripper fermement l'arrière de son genou, et répéta le geste avec l'autre bras. Elle se retrouva assise sur rien, tenue en l'air par les bras puissants de Walker, soumise à son commandement. Walker allait et venait en elle une fois et une autre, et une autre encore. En face d'eux, Joe ne perdait pas une miette du spectacle.

Chloe sentit son esprit partir vers une dimension parallèle. Elle était à la merci de cet homme et pourtant complètement libre. C'était facile, trop facile. Elle aurait voulu que ce moment dure à jamais.

La tête abandonnée contre l'épaule de Walker, elle se laissa faire. Il la pénétrait sans relâche. Quelle force, quelle puissance, pour la tenir ainsi à bout de bras sans défaillir, songea Chloe dans sa transe.

Un grommellement du côté de Joe ramena son attention vers lui. Il se caressait toujours, et comme hypnotisée, gourmande, elle fixa son sexe gonflé et dur. Elle le voulait en elle. Maintenant.

Comme s'il avait deviné sa prière muette, il se leva. Elle le regarda s'approcher, l'envie urgente qui enflammait son ventre redoublant à chaque pas qu'il faisait vers elle. Vers eux.

Puis il se glissa entre ses cuisses et pressa son sexe contre le sien.

Elle laissa échapper un cri rauque, reconnaissante, et la

chambre se mit à tourner jusqu'à en devenir floue. Joe avait pris son visage entre ses mains et dévorait ses lèvres, la mordait et la léchait sans retenue.

Sans la lâcher ni desserrer son étreinte, Walker se laissa aller sur le lit et l'entraîna avec lui. Il était allongé sur le matelas, et elle, assise sur ses cuisses, lui tournant le dos. Debout devant le lit, Joe les mangeait des yeux. Une sensation d'une puissance érotique galvanisante la submergea au moment où elle hissa ses hanches pour descendre un peu plus profondément sur le sexe de Walker. C'était elle, vraiment elle, Chloe O'Malley, cette femme qui chevauchait ainsi un homme alors qu'un autre regardait ?

Elle croisa le regard de Joe. Son expression éperdue lui donna la mesure de l'immense puissance sexuelle qu'elle détenait à cet instant. Le pouvoir avait changé de mains, comprit-elle, se réjouissant d'être celle qui contrôlait désormais la situation.

Et elle en voulait encore plus.

— Viens ici.

Quel plaisir de le voir se plier à son bon vouloir.

Les yeux de Joe étincelaient lorsqu'il les rejoignit sur le lit. Il embrassa son sexe chaud et humide, la courbe de sa hanche, le creux de son nombril. Elle ne pouvait pas voir le visage de Walker, mais en revanche, elle sentait la tension qui bandait les muscles de ses cuisses chaque fois qu'elle remuait des hanches. Quant à elle, son corps n'était plus que pur tremblement. Elle ne respirait plus, elle gémissait. La bouche de Joe se posa sur son sein, et elle cria, débordée par le mélange de plaisir et de douleur lorsqu'il enfonça ses dents dans sa chair, mais elle bomba le torse pour l'encourager à oser encore plus.

Elle n'arrivait pas à croire que tout cela était en train de lui arriver, et pourtant, elle ne s'était jamais sentie si vivante, si consciente de sa chair.

— S'il te plaît, dit-elle dans un souffle.

Elle ne pouvait plus attendre. Tant de choses étaient advenues pour atteindre cet instant, qu'elle ne pouvait pas imaginer le repousser une seconde de plus.

— S'il te plaît.

Joe enfila un préservatif et grimpa sur le lit pour venir poser son sexe magnifique contre le sien, les jambes serrées entre ses cuisses écartées. Elle se pencha en arrière pour l'encourager, et Walker contint son souffle dans son dos, sa peau contre la sienne glissante de transpiration.

Son cri retentit par-dessus leurs souffles emmêlés lorsque Joe entra en elle, comblant en même temps son corps et ses fantasmes. Le plaisir d'être pénétrée par deux hommes en même temps dépassait tout ce qu'elle avait pu imaginer, et lorsqu'il donna un nouveau coup de reins, elle faillit jouir.

— Pas encore, murmura Walker.

Il s'était relevé et se tenait en appui sur les coudes. Elle prit une profonde inspiration pour tenter de se retenir tandis que Joe posait ses mains sur les épaules de Walker. Il commença à bouger en elle à un rythme constant et à chacune de ses poussées, elle sentait qu'elle aurait pu jouir, mais Walker avait repris le contrôle et la tenait fermement par les hanches, l'empêchant de s'abandonner totalement.

Le regard de Joe était fixé quelque part derrière elle. Tout en allant et venant en elle, comprit-elle soudain, il ne regardait que le visage de Walker. Oh, seigneur.

— Je vais jouir, gémit-elle.

Ses membres ne lui répondaient plus, les larmes perlaient au bord de ses yeux. C'était trop intense, simplement trop. Elle ne pouvait plus le supporter.

— Non, murmura Walker en lui caressant les cheveux.

Sa voix était douce et ferme en même temps. Oui, il avait repris le commandement, et elle aimait ça.

Elle ferma les yeux, luttant pour contenir les secousses qui ébranlaient son corps au plus profond. Les deux hommes bougeaient en elle, leurs deux sexes séparés seulement par une mince paroi de chair.

Sa voix ne ressemblait plus à sa voix. C'était à peine si elle la reconnaissait. Ce n'était plus qu'un long gémissement saccadé.

Et sa peau. Humide, glissante, brûlante.

C'était trop…

Walker avait pris le bout de ses seins entre ses doigts, qu'il roulait et roulait à loisir, et lorsque Joe se pencha pour happer ce sein que Walker lui offrait, Chloe sentit tout son corps se raidir.

— S'il te plaît, Walker. S'il te plaît…

— D'accord, bébé, d'accord. Jouis pour nous.

— Oui, oh, oui.

Non, cette voix ne pouvait pas être la sienne.

Walker continuait à caresser ses seins lorsque Joe glissa la main entre leurs deux corps pour caresser son sexe et au moment même où il posa son doigt sur son clitoris, elle jouit. L'orgasme déferla sur elle, et bien que ses nerfs ne puissent plus recevoir une sensation de plus, les deux hommes continuèrent à la prendre, encore et encore, plus fort, plus dur, jusqu'à ce qu'elle s'abandonne à leurs secousses, molle comme une poupée de chiffon entre leurs deux corps.

Oh, elle aimait ce qu'ils faisaient, elle adorait être l'objet de leur passion. Elle aimait regarder les yeux de Joe au moment où il se poussa en elle une dernière fois. Elle aimait sentir le torse de Walker baigné de sueur contre son dos lorsqu'il se laissa enfin aller à la jouissance.

Tous les trois formaient une sorte d'unité fluide. Et alors qu'ils étaient en elle, elle se sentit accomplie comme jamais.

Chapitre 3

Le nirvana devait ressembler à cela, songea Chloe en se sentant flotter au-dessus de son corps comblé tandis que son cerveau percevait au loin le bruit d'un robinet, la vapeur provenant de la salle de bains, le murmure grave d'une conversation masculine.

Quelques instants plus tard, les deux hommes se glissèrent entre les draps, et elle sourit en sentant leur poids creuser le matelas à côté d'elle. Poussant un soupir de contentement, elle se laissa gagner par le sommeil.

S'était-elle endormie ? se demanda-t-elle, au bout d'un moment. En tout cas, paupières closes, elle pouvait deviner que c'était Walker l'homme dont la chaleur l'enveloppait. Et Joe était parti, comprit-elle sans savoir d'où venait cette certitude.

— Hello, beauté, dit Walker dans un murmure, en même temps qu'il déposait un baiser tiède sur son épaule.

Ses seins se redressèrent rien qu'au contact de ses lèvres contre sa peau nue. C'était fou, l'effet que Walker lui faisait.

— Walker, murmura-t-elle, en sentant le désir renaître dans son ventre.

Comment était-ce possible ? se demanda-t-elle, sidérée. C'était à peine si elle avait conscience d'être éveillée ! Les yeux entrouverts, elle lut l'heure sur l'horloge posée sur la table à chevet : 3 h 48. Donc elle avait dormi à peu près une heure. Encore hébétée, elle se tourna pour regarder ce beau visage.

La lumière provenant de l'autre pièce éclairait faiblement ses cheveux blonds en bataille, et ce détail la toucha. Il était si beau. Si viril... Quand le reverrait-elle de nouveau ? ne put-elle s'empêcher de se demander avec un pincement au cœur. Lui, et lui tout seul. Car elle ne pouvait pas se mentir. Elle avait adoré leurs petits jeux tout à l'heure, mais à présent, c'était avec Walker qu'elle avait envie de passer un petit moment. Rien qu'avec lui.

— Où est Joe ? demanda-t-elle pourtant, comme pour se racheter du sentiment de culpabilité qu'elle sentait monter en elle.

— Pourquoi ? s'enquit Walker avec une moue contrariée.

— Comme ça. Je me demandais juste...

Walker roula pour venir s'allonger sur elle, et elle contint son souffle. Son sexe bandé se pressait contre sa hanche.

— Je ne te suffis pas ?

— C'est que... Si ! Bien sûr que si.

Il se glissa entre ses jambes pour nicher son sexe au creux du sien, et elle écarta les cuisses pour mieux l'accueillir. Les images de ce qui s'était passé une heure plus tôt revenaient à son esprit. Jamais elle n'avait pensé pouvoir oser quelque chose de si différent, de si transgressif. Le regrettait-elle ? Pas une seconde ! L'expérience l'avait transformée, comprit-elle. Chloe O'Malley était devenue une femme beaucoup plus libre, capable de demander tout simplement ce dont elle avait envie. A cet homme, en tout cas.

— J'ai envie de toi, dit-elle en le regardant droit dans les yeux.

— Redis-le-moi.

— J'ai envie de toi. J'ai envie de toi. J'ai envie de toi.

Tout le sang de son corps semblait s'être donné rendez-vous au bas de son ventre, qui palpitait comme un cœur. Oui, quelque chose avait changé, songea-t-elle. Dans son for intérieur, bien sûr, mais aussi, entre elle et Walker, rien qu'entre elle et Walker.

Il se passait quelque chose de nouveau entre eux, nouveau et… plus profond.

L'instant d'une seconde, elle fut tentée d'explorer la nature de ses sentiments, mais elle se ravisa. Elle pensait trop, décidément. Elle aurait tout son temps plus tard pour réfléchir. Ici et maintenant, ce qu'elle avait de mieux à faire, c'était de concentrer toute son attention sur cet homme, sur le poids de son corps sur le sien, sur le délicieux contact de leurs peaux. Sur ses baisers.

Ces baisers qui lui faisaient perdre la notion de la réalité, jusqu'à ce qu'elle ne voie que lui, ne sente que lui, ne respire que lui. Il s'écarta légèrement pour enfiler un préservatif et revint sur elle pour la pénétrer d'un coup de reins puissant. La sensation était si intense qu'elle en était presque douloureuse,

— Est-ce que je te suffis ? murmura-t-il.

— Oh, oui, Walker.

— Est-ce que je te suffis ? répéta-t-il, en se retirant pour revenir en elle d'une nouvelle poussée vigoureuse.

— Oui, oui. S'il te plaît. Oui.

Elle sentait chaque fibre de son corps s'enflammer tandis que Walker plongeait en elle, encore et encore. Elle frissonnait, la respiration chaotique, les seins tendus.

Le plaisir montait si fort en elle qu'elle était déjà au bord de l'orgasme, l'envie la dominait. Rien de ce qu'elle avait ressenti auparavant ne pouvait se comparer à ce chamboulement absolu dans son corps et dans ses pensées.

— Chloe, je…

Elle peina à rouvrir les yeux.

— Toi…

— Tu es… simplement… incroyable, dit-il, en même temps qu'il saisissait l'une de ses chevilles pour la poser sur son épaule. Il fallait que je te le dise.

Elle sourit, chavirée. Elle n'en revenait pas de susciter un désir si puissant chez cet homme. Ces mots s'étaient emparés de son esprit comme Walker s'emparait de son corps, pénétrait en conquérant au plus profond de son être, ses hanches d'éphèbe s'enfonçant sans relâche entre ses cuisses.

Elle s'abandonna aux sensations, les yeux fermés, sans plus contrôler le gémissement continu qui échappait de sa gorge. Elle secoua la tête, ce n'était pas encore le moment…

— Walker ?

— Dis, bébé.

— Baise-m…

Mais elle ne finit pas sa demande, emportée par une explosion de jouissance. Une extase d'une force irréelle la transporta au-delà des limites du plaisir et elle haussa les hanches pour inviter Walker à l'accompagner. Avec un râle animal, il plongea une dernière fois en elle, et s'abandonna aux secousses de la délivrance, le corps tendu comme un arc.

Quand les battements de son cœur eurent repris un rythme à peu près raisonnable, Chloe laissa sa tête rouler sur l'oreiller. D'une oreille distraite, elle écouta l'écho d'une conversation entre deux noctambules qui n'avaient pas encore fini leur soirée. Au loin, elle pouvait distinguer le battement assourdi en provenance du club de l'hôtel. A Vegas, la fête ne s'arrêtait jamais, et surtout pas à 4 heures du matin.

Se redressant sur un coude, elle pencha la tête vers Walker et inspira profondément, décidée à poser la question qui l'intriguait. Il fallait qu'elle sache.

— Alors, c'est quoi le deal entre toi et Joe ?

— A l'heure qu'il est, il est probablement en train de coucher avec un beau croupier dans notre chambre, répondit-il sans écarter le bras qui couvrait ses yeux.

— Pardon ?

— Cette nuit a été incroyable, dit-il en lâchant un long soupir.

Un frisson brûlant la parcourut en repensant à l'expérience bouleversante qu'ils avaient partagée.

— Incroyable, oui.

Donc, qu'est-ce que cela pouvait faire si Joe finissait la nuit avec quelqu'un d'autre ? Et pourquoi cela ne l'affectait-il aucunement ? Cela aurait dû la troubler, mais à son grand étonnement, elle s'aperçut qu'elle éprouvait plus de curiosité que de jalousie.

En même temps, tant de choses avaient changé au cours de ces douze dernières heures... Sa perspective sur tout un tas de choses n'était plus la même.

Walker écarta son bras pour la dévisager.

— Joe ne se laisse atteindre par rien. Il se mure. A la minute même où il sent que quelque chose pourrait lui importer, il se trouve un joli corps pour s'en détacher.

Elle s'assit plus haut contre la tête de lit et remonta le drap pour couvrir son corps.

— Et comment le vis-tu ?

— Nous n'avons aucune sorte d'engagement.

— Tu l'aimes ?

Son cœur se mit à battre plus fort en attendant la réponse. Pourquoi cela, en revanche, lui importait-il tant ?

— Oui.

Elle sentit sa bouche se dessécher soudain.

— Ah.

Brillant, comme réplique. Bravo, Chloe.

— Mais je ne lui ai jamais demandé de m'être fidèle, ajouta Walker, en caressant avec douceur l'intérieur de son poignet. Et il ne me l'a jamais demandé, non plus. C'est notre manière à nous d'être ensemble.

Chloe se remémora la façon dont Joe avait regardé Walker par-dessus son épaule à elle lorsqu'ils lui faisaient tous les deux l'amour. Elle toussota.

— Mais il est amoureux de toi. C'est indéniable.

— Oui, mais il est incapable d'exclusivité.

— Et toi ?

— Peut-être, dit-il en haussant les épaules. Peut-être que j'aurai envie un jour de n'appartenir qu'à une personne.

Chloe ferma les yeux, son cœur cognant brutalement dans sa poitrine. Bon sang, qu'est-ce qui lui prenait ? A quoi cela rimait-il de poser à Walker ce genre de question ? Et pourquoi ne pouvait-elle ôter de son esprit l'image d'elle et Walker ensemble comme le couple parfait d'un roman d'amour ?

Alors que c'était si loin, oh, mais si loin de ce à quoi elle aspirait. Peut-être un jour en aurait-elle envie, mais pas maintenant !

Elle secoua la tête.

— Cela risque d'être difficile à concilier avec ton histoire avec Joe, non ?

— Pas avec la bonne personne à mes côtés, dit-il en enlaçant ses doigts aux siens.

Elle déglutit avec difficulté, l'estomac noué par une anxiété qu'elle n'arrivait pas à s'expliquer, de la même façon qu'elle n'arrivait pas à trouver une raison logique à la réaction si vive de son corps. Ce n'était pas possible. Walker n'était pas en train de suggérer qu'elle pourrait être cette femme si spéciale.

Ou si ?

Il l'attira contre lui pour qu'elle vienne se blottir contre son torse.

— C'est un peu tard pour se lancer sur un sujet si vaste. Dors, maintenant.

Elle respira l'odeur tiède et masculine de Walker et sa poitrine se serra. Il ne leur restait que quelques heures à passer ensemble et elle n'avait qu'une certitude : elle ne voulait se réveiller à côté d'aucun d'eux deux, car elle n'avait pas envie d'imaginer à quoi allait ressembler cette incroyable aventure à la lumière impitoyable du jour.

C'était mieux de partir avant que le soleil ne se lève.

Walker la serra encore une fois et déposa un baiser sur son front.

— Je ne sais pas si je pourrai attendre six mois pour te revoir, dit-il.

Elle ferma les yeux pour cacher le chagrin qui l'envahissait. Ils allaient lui manquer, tous les deux. Mais l'idée de passer six mois sans voir Walker semblait encore plus douloureuse.

Mais elle allait le revoir. Elle allait *les* revoir.

Un sourire irrépressible lui monta aux lèvres : la Chloe O'Malley qui allait arriver au restaurant lundi matin serait une femme complètement différente. Une femme qui était allée au bout de son fantasme le plus sulfureux.

Une femme qui avait osé le ménage à trois.

Avec deux hommes !

Et encore mieux : elle pouvait recommencer dans six mois, si elle le désirait.

Elle caressa la poitrine de Walker et soupira. Elle savait que le mieux qu'elle avait à faire, c'était de quitter ce lit, se rhabiller et rentrer chez elle. Mais ces bras enveloppant son corps la retenaient sous les draps et annihilaient sa volonté.

D'accord. Encore un peu, décida-t-elle. Pourquoi ne pas s'accorder le plaisir de prolonger ce moment délicieux ? L'aube tarderait encore quelques heures avant d'éclairer le ciel, et, franchement, quel meilleur endroit pour passer ces quelques heures que les bras de Walker ?

— Bonne nuit, bébé.

Elle marmonna une réponse, déjà vaincue par le sommeil.

— On se revoit dans six mois, murmura-t-il encore, déposant un baiser tendre au sommet de sa tête.

Chloe se réveilla seule. Elle n'avait pas besoin de sortir du lit pour le vérifier. Elle le sentait. Le champ d'énergie que les deux hommes créaient avec leur présence était si puissant, que maintenant qu'ils étaient partis, tout semblait affreusement vide.

Walker et Joe lui manquaient déjà.

Elle s'étira, et les courbatures qui assaillirent des muscles insoupçonnés de son corps lui rappelèrent quelques détails de son aventure de la veille. Un prix dérisoire à payer en comparaison du plaisir indicible qu'elle avait retiré de sa nuit avec les deux hommes.

Elle n'en revenait pas : elle avait bel et bien couché avec deux hommes.

Et elle brûlait d'envie de recommencer.

Une feuille de papier posée sur la table de nuit attira son attention. Elle la prit et la lut, le cœur en émoi. Un sourire béat aux lèvres, elle étreignit l'oreiller, la lettre contre sa poitrine. Six mots. Comment était-il possible que six mots de rien du tout la grisent autant ? Pourquoi ce petit bout de papier la réjouissait-il à ce point ?

Elle le relut.

« Chloe chérie,
On se revoit dans six mois.
Mille baisers,
Walker et Joe. »

Une bouffée d'euphorie l'envahit, et elle comprit qu'elle allait vivre les six mois à venir dans cet état d'esprit exubérant. Chaque minute de chaque jour, elle allait la passer dans cette attente excitée. Six mois de fantasmes, six mois avec ces deux hommes hantant ses pensées, six mois où l'envie de les retrouver n'allait pas cesser de croître en elle…

Demain, elle reprendrait sa vie habituelle, rythmée de mets délicats, de moments de rush et de chaussures antidérapantes. Mais les deux garçons ne seraient jamais loin de son esprit.

Elle se retourna dans le lit, les yeux fermés. Pour les six mois à venir, toutes ses pensées érotiques, tous les films qu'elle comptait se raconter tourneraient, encore et encore, autour de Walker et Joe.

Ils l'avaient prise, ils l'avaient envoûtée.

Et pour les six mois à venir, elle leur appartiendrait, dans tous les sens du terme.

Dès le 1er avril 2013

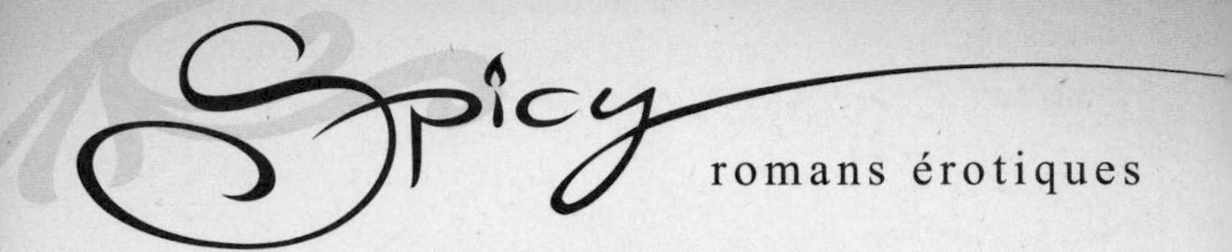

Rendez-vous

de Megan Hart

Chaque premier vendredi du mois, Sadie a rendez-vous avec ses fantasmes les plus secrets. Un homme dont elle ne connaît que le nom, Joe, la retrouve dans un parc à l'heure du déjeuner et lui raconte ses dernières nuits d'amour. Troublée, Sadie l'écoute lui dévoiler comment il séduit chacune de ses conquêtes et lui décrire chacune des caresses qu'il leur prodigue… Ces nuits sulfureuses existent-elles autrement que dans l'imaginaire du mystérieux Joe ? Qu'importe : pour Sadie, seul compte le plaisir qu'elle prend à ces récits brûlants qu'elle attend chaque mois avec plus d'impatience, et bientôt, ce qui a commencé comme un jeu devient pour elle un indispensable rendez-vous. Comme si, l'espace d'un instant, les mots de Joe lui permettaient d'oublier la réalité bouleversante qui l'attend chez elle. Mais peut-elle continuer à se laisser prendre au jeu des fantasmes de Joe sans franchir la limite qu'ils se sont fixée ?

8,90 €